Lecturas para dormir a una princesa

2

PRIMARIA

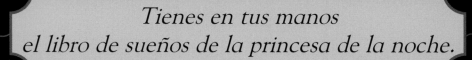

Esta es la princesa de la noche. Se llama Vega, que es el nombre de una estrella muy brillante. En la foto, aparece junto a sus padres: los reyes de la noche.

La princesa de la noche nació hace solo unos meses. Pero no te extrañe que sea tan grande. ¡En el reino de la noche, todo crece muy deprisa!

cierto, los reyes de la noche quieren saber

o has crecido tú este verano. ¿Les enseñas una foto o un dibujo de ti?

Pide a tus padres o a tu profe que te hagan una foto y pégala aquí. O dibújate tú.

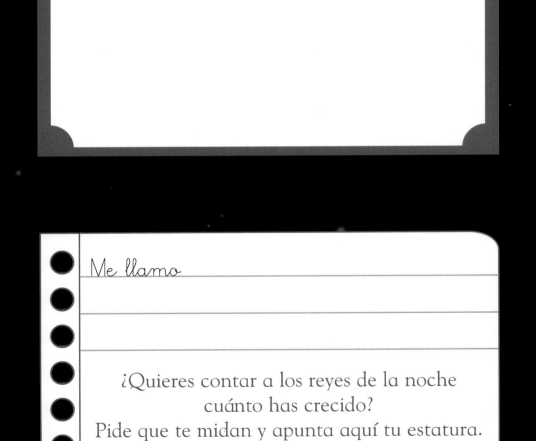

Me llamo

¿Quieres contar a los reyes de la noche
cuánto has crecido?
Pide que te midan y apunta aquí tu estatura.

Ya mido   centímetros.

El rey y la reina de la noche trabajan mientras tú duermes. Su misión es hacer las noches perfectas.

Durante toda la noche,

el rey teje sueños suaves y bonitos,

mientras la reina arropa a los niños y niñas que se destapan.

Otras veces, lo hacen al revés. La reina teje sueños y el rey arropa niños.

Pero hay una cosa que no cambia. Todas las noches, entre los dos,

sacan de la cama a la luna, que es muy dormilona.

Luego, el rey dirige el coro de grillos y la reina cuenta chistes

a las estrellas y a las luciérnagas para que **brillen**

más fuerte por la risa. La risa es como una luz. ¿No has visto cómo

se te ilumina la cara cuando te ríes?

Mientras el rey y la reina trabajan,

Vega, la princesa de la noche, acude a la escuela
(nocturna, claro). Allí aprende muchas cosas:

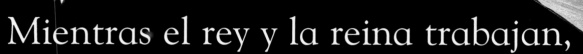

Aprende los números contando estrellas.

Aprende los nombres y las costumbres de todas las aves nocturnas:
el búho real, la lechuza de las nieves, el cárabo lapón,
el guácharo…

Aprende a tejer sueños preciosos y a componer canciones para los grillos.

Aprende todos los idiomas del mundo. Piensa que, de mayor, Vega tendrá
que enviar sueños desde Tombuctú hasta la China.

Todo esto sucede mientras tú   d u e r m e s…

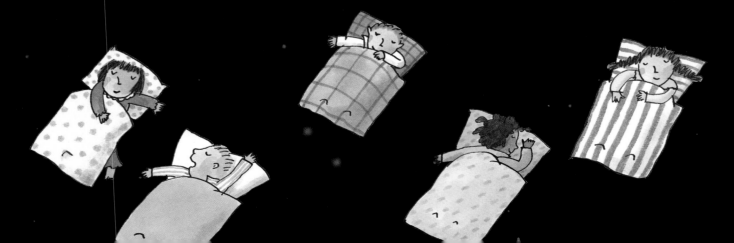

Pero ¿y de día?

De día, mientras tú estás en clase, los habitantes
del reino de la noche duermen. Así descansan para hacer bien su trabajo
por la noche. Pero Vega, la princesa de la noche, no siempre duerme.
A veces tiene miedo, otras se despierta en medio del día por culpa de una
pesadilla. Y hay veces en que, sencillamente, no logra dormir.

Los reyes están preocupados.

Si ellos duermen,

¿quién cuidará a la princesa si se despierta en medio del día?

¿Quién tejerá los sueños bonitos de la princesa de la noche mientras ellos duermen?

¿Quién le leerá un cuento para que se duerma?

Pero ahora los reyes de la noche

han tenido una idea genial.

Quieren que seáis todos vosotros quienes durmáis a su hija. ¿Haréis ese favor a los reyes de la noche? ¿Dormiréis a la princesa Vega con vuestras voces?

Si queréis hacerlo, solo tenéis que completar y firmar este contrato:

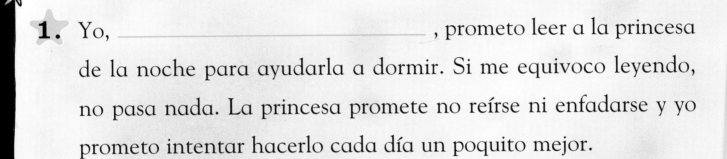

1. Yo, _____, prometo leer a la princesa de la noche para ayudarla a dormir. Si me equivoco leyendo, no pasa nada. La princesa promete no reírse ni enfadarse y yo prometo intentar hacerlo cada día un poquito mejor.

2. A cambio, los reyes de la noche prometen traerme unos sueños preciosos y espantar a todas las pesadillas.

Firmado:

Los reyes de la noche

Firma aquí:

_____

LIBRO DE SUEÑOS
DE LA PRINCESA DE LA NOCHE

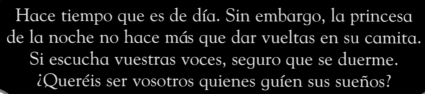

Hace tiempo que es de día. Sin embargo, la princesa
de la noche no hace más que dar vueltas en su camita.
Si escucha vuestras voces, seguro que se duerme.
¿Queréis ser vosotros quienes guíen sus sueños?

PASEANDO EN SUEÑOS

La princesa de la noche
me escucha y se duerme.
Camina entre versos
y en sueños se pierde.

Llega hasta el río.
Se va a mojar los pies.
Con solo tres palabras
un puente le construiré.

Cemento, hierro y madera
para un puente de forja.
Cruza el río la princesa.
Los pies ya no se mojan.

 10

Un rastro de versos
dejaré entre amapolas,
para que la princesa
no se sienta sola.

Y por un sendero verde
yo le plantaré
un camino de palabras
para que sepa volver.

Así al llegar la noche,
a la caída del sol,
regresará ella del sueño
y entonces dormiré yo.

BEGOÑA ORO

Vuestras palabras se han hecho realidad. Pasea ahora
Vega entre sueños. Se siente segura y feliz. Sabe que
vuestras palabras la acompañarán mientras duerme.
Dulces sueños, princesa de la noche.

12

Hay quienes dicen que, para que las princesas duerman,
lo mejor es el silencio. Sin embargo, a la princesa
de la noche el sonido de vuestras voces la adormece.
En este cuento, tendréis que hablar a veces bajito
y otras veces FUERTE.
¿Conseguirá Vega dormirse con tanto ruido?

SHH BANG

Existió un pueblo donde todos susurraban. Se habían
pasado cientos de años susurrando. Y como nadie
hizo ningún ruido durante tanto tiempo, la gente
de este pueblo había olvidado cómo era el verdadero
sonido de las cosas. Solamente susurraban.

Cuando el tren partía de la estación, el conductor
susurraba:

—Todos a bordo.

Y todos los pasajeros subían de puntillas. El tren salía
de la estación sin hacer ruido: «chuc-chuc-chuc-chuc-
shsss».

Cuando los buques zarpaban, hacían sonar
sus sirenas suavemente: «uuuuuu».
Y un camarero golpeaba un gong
enfundado: «dong-dong-dong».

El cartero soplaba su silbato
tan débilmente que sonaba
como el quejido de
un ratoncito.

Los coches, en las calles,
jamás tocaban alto sus bocinas.
Solo se desplazaban sobre sus ruedas
de goma. Y cuando querían alertar
a los peatones para no atropellarlos,
las hacían sonar suavemente: «tuu, tuu, rrr, rrr».

Pero un día llegó un niño a este pueblo. Nunca
había estado antes allí.

—¿CÓMO SE LLAMA SU PUEBLO? —preguntó
entonces al primer hombre que encontró.

—Shh —susurró el señor—. Rascacielos.

—¿QUÉ HORA ES? —preguntó a otro hombre
que encontró.

—Shh... Las diez...

—¿DÓNDE PUEDO IR A COMER? —preguntó
a una señora.

—Shh... Shhh... —susurró la mujer—. Aquí a la vuelta.

Cuando el niño dobló la esquina, el restaurante
estaba incendiándose. Los coches de bomberos
se aproximaban silenciosamente: «aaaaa...».
Las mangueras lanzaban agua con suavidad.
Resplandecían sobre las tenues llamaradas.

Pero el niño no había encontrado aún qué comer. De modo que, una vez que el fuego estuvo apagado, dobló la esquina. Allí encontró una vieja heladería. Entró. Todos susurraban.

—¿PUEDO COMER ALGO? –preguntó.

—Shhh… –le dijo el hombre que estaba del otro lado de la caja. Y la gente continuó susurrando.

—¿ME DARÍA ALGO PARA COMER, POR FAVOR? –dijo el niño mientras se sentaba en una de las mesas.

—Shhh… –le dijo la gente. Y continuó susurrando.

—BUENO; YO NO VOY A SUSURRAR –dijo el chico.

—Shhh… –le dijo la gente. Y continuó susurrando.

—¡EH! –dijo el niño–. NO PUEDO OÍROS.

En ese momento, la gente dejó de susurrar y se puso el índice sobre los labios. El sitio era tan silencioso que hubiera podido oírse el ruido que hace una hormiga cuando traga.

Todos miraban al niño.

Lo miraban sin decir una palabra, con sus dedos índice sobre los labios.

Entonces, el niño rompió el silencio y dijo:

—VOY A PONER LAS COSAS EN SU SITIO.

Cerró de golpe la puerta. Hizo estallar un petardo y gritó:

—¡BANG!

—¡POR EL AMOR DE DIOS! –dijo la gente–. ¿QUÉ FUE ESO?

Y todo el mundo se despertó.

La gente empezó a conversar otra vez.

Las ruedas empezaron a rechinar otra vez.

Las bocinas empezaron a sonar otra vez.

Las sirenas empezaron a silbar otra vez.

Y el niño consiguió algo para comer.

MARGARET WISE BROWN
Cuentos. Latina

Todo el mundo se despertó en el pueblo de Rascacielos. Sin embargo, en el reino de la noche, la princesa se ha dormido. Aunque no os lo creáis, durante la lectura se ha llevado algún susto que otro… Pero ahora sueña con una ciudad donde las bocinas tocan nanas y las sirenas suenan como violines. *Dulces sueños, princesa de la noche.*

Normalmente, la princesa se duerme al calor de los cuentos. Las letras son como un abrigo y le hacen sentirse mejor. Sin embargo, hoy la princesa está acalorada. "¡Hoy no necesito el calor de las letras!", dice.

Tú puedes ayudarla a refrescarse. Lee estas adivinanzas de letras. Por cada letra que adivines, el vestido de la princesa será más ligero y ella tendrá menos calor.

ADIVINA LETRAS

En el mar y no me mojo,
en brasas y no me abraso,
en el aire y no me caigo,
y me tienes en tus brazos.

(La A)

Dedos tiene dos,
piernas y brazos, no.

(La D)

En medio del cielo estoy
sin ser lucero ni estrella,
sin ser sol ni luna bella;
a ver si aciertas quién soy.

(La E)

Bajo un paraguas
sin varillero
van las dos patas
del mes de enero.

(La N)

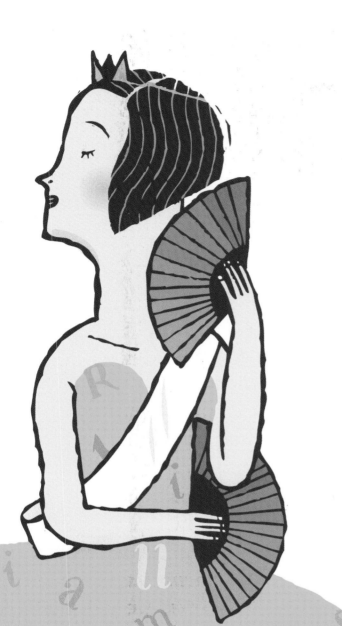

Generosa gracias
a ti existe,
y en garganta
dos veces insiste.

(La G)

Soy un palito
muy derechito
y encima de la frente
tengo un mosquito.

(La i)

Hermanas gemelas son,
y nunca las verás con sol.

(Las dd)

POPULAR
Las mejores adivinanzas.
Edicomunicación

¡Qué pocas letras quedan ya en el vestido de la princesa! ¿Serás capaz de inventarte una adivinanza para alguna de ellas?
Dulces sueños, princesa de la noche.

La princesa de la noche se ha despertado en mitad
del día chillando: «¡Aaaah!». Todo por culpa
de una horrible pesadilla.
Al menos ella puede decir la A, no como la niña de este
cuento. ¿Por qué no hacéis reír a Vega contándole
su historia? Así se olvidará de la pesadilla…

LA NIÑA QUE NO PODÍA DECIR LA A

●: Había una vez una niña que un buen día
se levantó de la cama, como todas las mañanas,
y al ir hacia el cuarto de baño, se cruzó
con su padre y quiso decirle: «Buenos días, papá».
Pero en lugar de eso le salió:

●: —Buenos díes, pepé.

●: Su padre la miró muy
extrañado y le preguntó:

●: —¿Por qué me llamas Pepe,
si sabes perfectamente
que me llamo Juan?

●: Y la niña contestó:

●: —No te he llemedo Pepe,
pepé.

●: Entonces la niña se dio
cuenta de que en vez de
decir «llamado», había dicho
«llemedo». Y en vez de
«papá», había dicho «pepé».

●: —¡No puedo decir le letre E!

●: Naturalmente, quería decir: «no puedo decir la letra A». Pero cada vez que tenía que decir una A, le salía una E.

Al principio, su padre pensó que le estaba tomando el pelo. Pero al cabo de unos minutos, la pequeña, desesperada al ver que no podía decir ni una sola A, se echó a llorar.

●: Aunque, claro, en vez de hacer «bua, bua» como todo el mundo, hacía «bue, bue».

Al oírla llorar, llegó su madre y le preguntó:

●: —¿Qué te pasa, hijita? ¿Por qué lloras de esa forma tan rara?

●: —No puede decir la A.

●: —No digas tonterías, Juan. Todo el mundo puede decir la A. A ver, hija, di «A».

●: Y la niña, sin dejar de sollozar, dijo:

●: —Eeeee…

●: Total, que la llevaron al médico.

Ya sabéis que los médicos piden a todo el mundo que diga «A», porque al decir «A» abrimos mucho la boca y entonces el médico nos puede ver la garganta. Así que lo primero que hizo el médico al ver a la niña fue decirle:

●: —A ver, guapa, di «A».

●: —Eeee…

●: —«E» no, bonita. Tienes que decir «A».

●: —Ese es el problema, doctor. No puede decir la «A». Cuando quiere decir «A», dice «E».

●: —Qué cosa más rara…

●: Y como era uno de esos médicos que todo lo arreglan con vitaminas, se rascó la cabeza con aire pensativo y dijo que aquella niña necesitaba muchas vitaminas.

●: —¿Y qué vitaminas tenemos que darle, doctor?

●: —Vitamina A, naturalmente.

●: Así que le dieron a la niña muchas zanahorias, que son muy ricas en vitamina A, y se le puso la piel muy suave y sonrosada. Pero seguía sin poder decir la A.

●: Hasta que se lo contaron a la abuelita, que como todas las abuelas y los abuelos sabía muchas cosas. Y la abuelita dijo:

●: —¡Menuda tontería! Esto se lo quito yo como si fuera un hipo.

●: La abuelita se acercó a la niña por detrás y…

●: —¡Uh!

●: … le dio un susto morrocotudo, y la niña gritó:

●: —¡Aaaaaah!

●: Y desde entonces ya no volvió a tener problemas para decir la A ni ninguna otra letra del alfabeto.

CARLO FRABETTI
Cuentos para niños llorosos. Altea

«Je, je, je», ríe la princesa de la noche, contagiada por la niña del cuento.
Ja, ja, ja. Duérmete ya.
Delces señes, prencese de le neche.

Esta noche la princesa Vega ha estado aprendiendo
a contar estrellas. Y como dicen que contar sirve
para dormirse, se ha puesto a practicar contando ovejas.
Sin embargo, ya va por la oveja número ciento doce
y aún no se ha dormido. Está demostrado:
el único método para que la princesa se duerma
es que le leáis.

LAS OVEJAS DEL SUEÑO

Por llamar al sueño
conté veinte ovejas:
seis patilargas,
cinco patituertas,
cuatro paticortas
y tres patinegras,
un tierno cordero
y una oveja vieja.

Saltan por la cama,
muerden la moqueta,
bala que te bala.

¡Aquí no hay quien duerma!

CARMEN BLÁZQUEZ
Arroyo claro, fuente serena.
Vicens Vives

PARA DORMIR

—Que no tengo sueño, madre.

—Pues cuenta ovejas.

Cuenta cien veces las blancas
y otras cien veces las negras.

Cuenta las ovejas grandes
y las ovejas pequeñas
y los rabos y las patas
y los ojos y las cejas…

Cuenta el perro del pastor
y al pastor que pastorea.

Cuenta los años que tiene,
pues ya pasa de cincuenta.

Cuenta…

—Y mi madre se ha dormido,
cuenta que te cuenta cuenta.

Y yo, ay, pobre de mí,
sigo contando y despierta.

JOSÉ GONZÁLEZ TORICES
Poesía infantil. Everest

¡Shhh! Creo que la princesa de la noche no ha llegado
a contar ni al pastor. Hace rato que duerme.
¡Lo habéis conseguido!
Dulces sueños, princesa de la noche.

Hoy los reyes de la noche han ido al teatro. Era
el estreno de *Ha nacido una estrella*. La lechuza
de las nieves se ha quedado al cuidado de la princesa.
A las dos les encantan las historias y los poemas
de siempre. Seguro que las dos disfrutan mucho
si les leéis esta canción.

BODAS DE PIOJOS Y PULGAS

●: Piojos y pulgas
se quieren casar,
por falta de trigo
no se casarán.
Y dice la hormiga
desde su hormiguero:

●: —Háganse las bodas;
yo llevo el granero.

●: —Pobres de nosotros,
trigo ya tenemos,
por falta de carne
no nos casaremos.

●: Y dice el lobito
desde un alto cerro:

●: —Háganse las bodas;
yo llevo un becerro.

●: —Pobres de nosotros,
carne ya tenemos,
por falta de vino
no nos casaremos.

●: Y dice el mosquito
desde el mosquitero:

●: —Háganse las bodas;
yo llevo un pellejo.

●: —Pobres de nosotros,
vino ya tenemos,
por falta de agua
no nos casaremos.

●: Y dice la rana
desde su gran charco:

●: —Háganse las bodas,
que llevo los vasos.

●: —Pobres de nosotros,
agua ya tenemos,
por falta de cama
no nos casaremos.

●: Y dice el erizo,
con su suave lana:

●: —Háganse las bodas;
yo pongo la cama.

●: —Pobres de nosotros,
cama ya tenemos,
por falta de casa
no nos casaremos.

●: Y el topo responde
desde su topera:

●: —Háganse las bodas;
yo haré casa nueva.

●: —Pobres de nosotros,
casa ya tenemos,
pero sin padrinos
no nos casaremos.

●: Y el grillo y la grilla
dicen muy contentos:

●, ●: —Háganse las bodas;
padrinos seremos.

●: —Pobres de nosotros,
padrinos tenemos,
por falta de cura
no nos casaremos.

●: Y dice el lagarto,
en su cueva oscura:

●: —Háganse las bodas,
que yo seré el cura.

●: —Pobres de nosotros,
cura ya tenemos,
mas sin convidados
no nos casaremos.

●: Gallinas y gallos
se ofrecen gustosos
para ir a las bodas
de pulgas y piojos.
Salen de la iglesia
todos muy alegres,
pero en el camino
los novios se pierden.

●: —Señores, ¿qué pasa?
¿Dónde están los novios?

●: —Se los han comido
gallinas y pollos.

POPULAR
En *Cantares y decires*.
Ediciones SM

Por una vez, los novios no comieron perdices ni
fueron felices. Pero eso no parece quitar el sueño
a la princesa de la noche ni a la lechuza de las nieves.
¡Cómo ronca!
Dulces sueños, princesa de la noche.
Dulces sueños, lechuza de las nieves.

La princesa de la noche se está volviendo un poco caprichosa. Hoy dice que quiere oír una historia leída muuuy len-ta-men-te, y una leída *a todo correr*. Si no, no se dormirá.
¿Podéis intentar complacer a la princesa?

LENTITUD

Había

una

vez

un hombre

tan lento,

tan lento,

que tardaría un año

en leer

este cuento.

MAURICIO BACH
Cuentopostales. Juventud

EL ANIMAL MÁS VELOZ DEL MUNDO

Hace muchos, muchos años, cuando todavía no existían los cronómetros, los guepardos eran completamente negros. Hasta que un día, el vencejo y el guepardo decidieron hacer una carrera.

El guepardo, que era muy fanfarrón, dijo al vencejo a toda velocidad (el guepardo hablaba siempre a toda prisa):

—¿Con esas dos patitas
me quieres ganar?
Prepárate, bichejo.
Te voy a ganar.

A lo que el vencejo respondió más deprisa todavía:

—Cuatro patas tienes,
mas no sabes volar.
Yo soy el más rápido
del reino animal.

El guepardo, convencido de que iba a ganar, empezó la carrera sin esforzarse. Pero pronto vio que el vencejo le sacaba gran distancia.

El guepardo empezó a correr más *deprisa*. Pero el vencejo seguía el primero. El guepardo *corría y corría*. Pero el vencejo seguía el primero. El guepardo iba *cada vez más aprisa*. Pero el vencejo seguía el primero. *El guepardo empezó a correr como nunca lo había hecho*. Tanto que el color negro de su pelaje se quedó atrás, pues no podía correr tan deprisa como él. El negro se desprendió de su piel y fue a parar a la urraca y al cuervo, que, apostados en el camino, animaban al vencejo. El guepardo sólo conservó unas pocas manchas negras que corrían veloces con él.

Pero ni corriendo tanto logró el guepardo ganar
al vencejo.

Al final, cuando llegó el guepardo a la meta,
el vencejo le dijo tan rápido como siempre:

—*Ya lo has visto.*
Ni el guepardo ni el jaguar.
El vencejo es el más rápido
del reino animal.

A lo que el guepardo,
cansado y jadeante, respondió:

—*Puede que lo seas*
pero nadie lo sabrá.
Pues mi rugido es más fuerte
que tu débil piar.

Y, a partir de ese momento, el guepardo se dedicó
a pregonar a los cuatro vientos que era el animal
más rápido del mundo. Mientras, el modesto vencejo
se dedicaba a volar y volar.

Por eso muy poca gente sabe que el vencejo
es el animal más rápido del mundo. Pese a que
los cronómetros lo han demostrado.

Ahora que lo sabes tú, ¿se lo contarás a alguien?

BEGOÑA ORO

¡Bravo, campeones! Vuestras voces han llegado a la
meta del sueño. Pero ¡oh, no! Parece que la princesa de
la noche se ha quedado dormida antes de que el vencejo
llegara el primero a la meta. ¿Pensará todavía que
el guepardo es el animal más rápido del mundo?
Dulces sueños, princesa de la noche.

Los reyes de la noche están preocupados. Dice la princesa que no quiere estudiar, que no quiere ir al colegio ni aprender a sumar. Ay, Vega, si no te esfuerzas, te convertirás en borrica. ¿Quién se lo explica?

LA VACA ESTUDIOSA

Había una vez una vaca
en la Quebrada Humahuaca.

Como era muy vieja, muy vieja,
estaba sorda de una oreja.

Y a pesar de que ya era abuela
un día quiso ir a la escuela.

Se puso unos zapatos rojos,
guantes de tul y un par de anteojos.

La vio la maestra asustada
y dijo: —Estás equivocada.

Y la vaca le respondió:
—¿Por qué no puedo estudiar yo?

La vaca, vestida de blanco,
se acomodó en el primer banco.

Los chicos tirábamos tiza
y nos moríamos de risa.

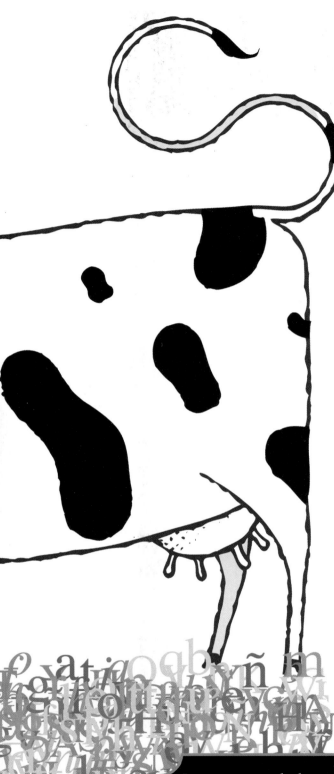

La gente se fue muy curiosa
a ver a la vaca estudiosa.

La gente llegaba en camiones,
en bicicletas y en aviones.

Y como el bochinche aumentaba
en la escuela nadie estudiaba.

La vaca, de pie en un rincón,
rumiaba sola la lección.

Un día toditos los chicos
se convirtieron en borricos.

Y en ese lugar de Humahuaca
la única sabia fue la vaca.

MARÍA ELENA WALSH
Canciones para Mirar. Alfaguara

La princesa de la noche duerme y sueña que la vaca
de Humahuaca le da clases de canto. ¡Qué bien! Habéis
logrado que tenga ganas de ir al colegio. Seguro que
esta noche sus padres os recompensan con un sueño en
el que vuestros deseos se hacen realidad. Hasta
entonces…
Dulces sueños, princesa de la noche.

Otra vez están fuera los reyes de la noche. Esta vez se han ido a la boda entre la niebla y el rocío. ¿Qué tal si contamos a Vega un cuento muy antiguo, aprovechando que está con la lechuza de las nieves? Posiblemente la lechuza lo haya oído alguna vez. Hace tantos años que se cuenta…

UNA BRUJA MALVADA

Érase una vez un joven matrimonio que vivía en un pueblo. Tenían un bebé al que todos los vecinos querían mucho.

Un día estaba la madre con su hijito sentada a la sombra de un árbol. De pronto se le acercó una anciana.

—¿Me deja que la peine?
–preguntó la anciana a la madre.

—No, gracias. No hace falta
–respondió amablemente la mujer.

—Yo creo que sí. Está completamente despeinada –insistió la anciana–. No le vendría nada mal que le retocara el peinado. Deje que le haga una trenza especial.

La mujer no entendía tanta insistencia, pero al final cedió:

—Está bien. Dejaré que me peine
–dijo resignada la mujer.

Pero aquella anciana era en realidad una bruja y aprovechó el momento de peinarla para ponerle un lazo en el cuello.

Al instante, la joven se convirtió en paloma y salió volando. Y la anciana se sentó a la sombra del árbol con el niño en su regazo como si nada hubiera sucedido.

Algunos vecinos que pasaron por allí la miraron extrañados.

—¿Quién es usted? —le preguntaban.

Y ella les respondía que era la madre de aquel niño.

Pero nadie la creía. Todos sabían que la madre era una mujer joven.

Sin embargo, la anciana insistía en decir que ella era la madre del niño. Les contaba que una bruja la había envejecido.

Tanto insistió que terminaron creyéndola y la acompañaron a su casa, donde vivió como si fuese la verdadera madre del niño.

Durante ese tiempo, cada día, una hermosa paloma blanca iba a posarse en uno de los árboles del jardín. El padre del niño la observaba. Pero la bruja trataba de distraerlo.

—¿Por qué pierdes tiempo mirando a esa paloma? —refunfuñaba la bruja.

Pero el padre seguía admirando a la paloma. Cada mañana salía al jardín y la buscaba entre los árboles.

Afortunadamente, un día la paloma se posó en la mano del hombre. Cuando la estaba acariciando cariñosamente, se dio cuenta de que tenía algo en la cabeza.

En efecto, cuando la observó más detenidamente vio que la paloma tenía un lazo en el cuello.

Se lo quitó y al momento la paloma se convirtió en una joven. El hombre la reconoció enseguida: era su mujer.

Cuando la joven contó lo sucedido, expulsaron a la bruja del pueblo.

Desde entonces, todos vivieron felices en aquel lugar sin la presencia de aquella malvada bruja.

Popular
En *Mil años de cuentos*. Edelvives

—¿No habrá brujas de esas por aquí? —pregunta un poco asustada Vega.
Menos mal que la lechuza de las nieves la convence de que las brujas no existen. Duerme tranquila, princesa.
Dulces sueños, princesa de la noche.

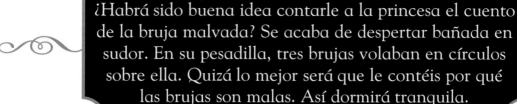

¿Habrá sido buena idea contarle a la princesa el cuento de la bruja malvada? Se acaba de despertar bañada en sudor. En su pesadilla, tres brujas volaban en círculos sobre ella. Quizá lo mejor será que le contéis por qué las brujas son malas. Así dormirá tranquila.

¿POR QUÉ SON MALAS LAS BRUJAS?

Las Brujas vendían
tortitas y helados
en un tenderete
de color morado.

«¡Venid, venid, niños,
no nos tengáis miedo,
que aquí regalamos
ricos caramelos!»

Todos se escondían,
nadie se acercaba,
miraban al cielo
por ver si volaban
sobre sus escobas
las Brujas malvadas.

Y las pobres Brujas,
que no tienen alas,
que no tienen gato
ni están desdentadas,
¡ay!, las pobres Brujas,
tan desprestigiadas
por todos los cuentos
que escriben las Hadas,
al verse tan solas,
tan abandonadas,
como si estuvieran
todas embrujadas,
suspiran y dicen,
de muy mala gana:
«¡Niños, convertíos
en sapos y ranas!».

SAGRARIO PINTO
La casa de los días. Anaya

¡Lo ves, princesa Vega? Vuela la lechuza, vuelan las
estrellas. Pero las brujas…, ¡las brujas no vuelan!
Dulces sueños, princesa de la noche.

La vida en el reino de la noche es casi
en blanco y negro.
«¿Cómo será un cuento en blanco y negro?»,
se pregunta la princesa de la noche. Como siempre,
la respuesta está en vuestras manos…

DOS PINGÜINOS

●: Los dos pingüinos salieron del agua.
Estaba fría. Un pingüino le dijo al otro:

●: —Veo que sabes nadar muy bien. ¿Cómo
te llamas?

●: El otro respondió:

●: —Pingüino.

●: —¡Anda, como yo!

●: Afirmó el pingüino preguntón, el más mojado.
Y en seguida se dio cuenta de que había algo
que no entendía.

●: —Pero… entonces, cuando alguien nos llame:
«eh tú, pingüino», los dos nos volveremos.

●: —¿Y tú qué quieres?

●: Le preguntó, algo tieso, el otro pingüino.

●: —Yo quisiera que nuestras madres nos pusieran
un nombre cuando nacemos.

●: —Pero no te das cuenta de que nuestras madres,
al igual que nosotros, no han ido a la escuela.
¿Dónde has visto tú que un pingüino vaya
a la escuela?

●: —Pues un primo mío que ha estado en Alaska me ha dicho que allí los pingüinos saben inglés.

●: —Claro, como que son americanos.

●: —Aaah. ¿Y por eso dicen: «*Jau guar yu*», y todo eso?

●: —Por eso.

●: Respondió el otro pingüino, llevándose una aleta a su cabeza.

●: —Y ¿cómo se dice pingüino en inglés?

●: —Pingüino en inglés se dice: *peguin*.

●: —Pues a partir de ahora llámame Peguin.

●: —De acuerdo, Peguin. A partir de ahora te llamaré Peguin.

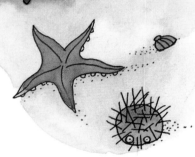

●: Aceptó el otro pingüino, temblando de frío.

●: —Venga, te invito a un té caliente.

●: Y los dos pingüinos, Pingüino y Peguin, se fueron a la cueva donde vivía Peguin. Y se tomaron un té muy caliente. Una gota resbaló de la taza de Peguin, y al caer derritió el hielo. Un pez asomó su cabeza.

DANIEL NESQUENS
Diecisiete cuentos y dos pingüinos. Anaya

La princesa de la noche sueña con un arco iris que
nace en el Polo Norte y muere en el Polo Sur.
En su sueño, el mundo se llena de colores.
Dulces sueños, princesa de la noche.

Esta mañana, en algunos puntos del planeta,
se ha visto al mismo tiempo a la luna y al sol.
¿Qué hará la luna trabajando por la mañana?
Está muy claro: brizar, o sea, acunar a la princesa
de la noche. ¿La mecéis con vuestra voz?

A MI PRIMER NIETO

La media luna es una cuna,
¿y quién la briza?;
y el niño de la media luna,
¿qué sueños riza?

La media luna es una cuna,
¿y quién la mece?;
y el niño de la media luna,
¿para qué crece?

La media luna es una cuna,
va a la luna nueva;
y al niño de la media luna,
¿quién me lo lleva?

MIGUEL DE UNAMUNO
En *Canto y cuento*. Ediciones SM

LUNA LUNERA

Luna lunera,
cascabelera,
rodando sola,
sin compañera.

Luna lunilla,
cabezoncilla,
toda la noche
brilla que brilla

Luna lunada,
semimojada,
por el arroyo
nada que nada.

Luna luneta,
corniveleta,
jugando al toro
por la glorieta.

CARLOS MURCIANO
La rana mundana. Bruño

ENANITOS

Cuando está la luna
sobre el horizonte
muchos enanitos
juegan en el monte.

A las esquinitas
y a la rueda-rueda
juegan los enanos
bajo la arboleda.

Muy blanca la barba,
muy rojo el vestido,
los enanos juegan
sin hacer rüido*.

Y así, como blancos
ovillos de lana,
por el campo corren
hacia la montaña.

GERMÁN BERDIALES
Si ves un monte de espumas.
Anaya

* *El poeta ha escrito
dos puntos sobre
la u para que
leamos ru-i-do.*

LUNA

Parece a veces natilla
o tajada de melón
entre blanca y amarilla
en el cielo solo brilla
cuando no reluce el sol.

JOSÉ JAVIER ALFARO
Magiapalabra. Hiperión

NANA

La señora Luna
le pidió al naranjo
un vestido verde
y un velillo blanco.

La señora Luna
se quiere casar
con un pajarito
de plata y coral.

Duérmete, Natacha,
e irás a la boda,
peinada de moño
y en traje de cola.

Juana de Ibarborou
Poesía infantil recitable.
Compañía Literaria

Acurrucada en la media luna, la princesa de la noche
duerme plácidamente. «Gracias por los poemas», susurra
la luna. Lo dice flojito para que Vega no se despierte.
Pero se nota que lo dice de corazón.
Dulces sueños, princesa de la noche.

Hay cosas contagiosas, como algunas enfermedades, la risa o las ganas de bostezar. Vamos a ver si conseguís que bostece la princesa de la noche. Y al final, que se duerma. ¿Creéis que podréis conseguirlo? ¿O acabaréis bostezando vosotros?

LA HISTORIA DEL BOSTEZO

Una vez una niña llevó a su hermanita a pasear en el trenecito de los niños. La hermanita se cansó y bostezó. La niña, entonces, también bostezó. La dueña de la sombrerería, que las vio, también se puso a bostezar, y la gente que estaba en la parada y el vendedor de periódicos, y el ciclista, todos se pusieron a bostezar.

En aquel momento llegó el tranvía y el conductor vio muchas bocas abiertas bostezando. Entonces él empezó a bostezar y a bostezar, y no pudo seguir conduciendo.

El hombre del camión quiso saber por qué el tranvía
se detenía tanto. Se asomó por la ventana y, nada
más hacerlo, empezó a bostezar. Los conductores
de los coches lo vieron. Como también habían detenido
los coches, empezaron a bostezar. El policía quiso
tocar el pito. Todos tenían que ponerse en marcha.
Pero no pudo tocar el pito, porque se puso
a bostezar. En un momento todas las personas
y los perros y los gatos de la ciudad se pusieron
a bostezar, incluso el deshollinador en el tejado
y hasta la lombriz de tierra que estaba en el suelo.
Pero como ya era de noche, todos se fueron
a acostar muy temprano.

Ursula Wölfel
Veintiocho historias de risa. Miñón

¡Ya lo creo que ha bostezado la princesa de la noche!
Si se le veía hasta la campanilla… ¿Veis como los
bostezos son contagiosos?
Dulces sueños, princesa de la noche.

HISTORIA DE UNA HOJA

Es la historia
de una hoja
que cuando llueve
se moja.

Llueve
y se moja.
    Llueve
    y se moja.
        Llueve
        y se moja.

¡Como se moje otra vez,
se va a convertir en pez!

ESTA HISTORIA DEL REVÉS

… Pero el pez,
si des-llueve,
se des-moja…

    Se des-moja,
    se des-moja,
    se des-moja…

¡Y otra vez
vuelve a ser hoja!

LAS HOJAS DE OTROS LIBROS

Las hojas de los libros
de la tortuga,
son de lechuga.

Las hojas de los libros
de la cigarra,
hojas de parra.

Las hojas de los libros
del caracol,
hojas de col.

Del calamar,
algas de mar.

Del ermitaño,
de castaño.

De la lombriz,
de regaliz.

ANTONIO RUBIO
Versos vegetales. Anaya

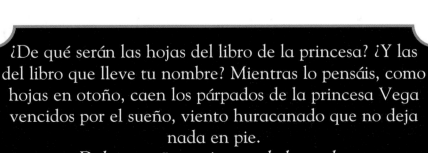

¿De qué serán las hojas del libro de la princesa? ¿Y las del libro que lleve tu nombre? Mientras lo pensáis, como hojas en otoño, caen los párpados de la princesa Vega vencidos por el sueño, viento huracanado que no deja nada en pie.
Dulces sueños, princesa de la noche.

Desde el reino de la noche ha llegado una historia diferente. Sale la princesa de la noche. *¿Saldréis vosotros?*

EL BOSQUE DE LOS CUENTOS

En el reino de la noche hay un lugar muy especial. Es el Bosque de los Árboles Genealógicos.

En los árboles genealógicos viven familias enteras. Los más pequeños viven en las ramas de abajo. Sus padres, en las ramas del segundo piso. Los abuelos, en las del tercero. Los bisabuelos, en las del cuarto...

A veces, abajo del todo hay una sola rama. Son los árboles de familias que tienen un solo hijo o una sola hija.

Otras veces solo hay una rama en el segundo piso... Hay árboles muy grandes que parecen tilos. Y árboles delgados como un chopo. Incluso hay árboles con ramas de distintos colores.

Hay árboles de muchos tipos en el Bosque de los Árboles Genealógicos. Pero todos ellos encierran un sinfín de historias, ocultas muchas veces en las ramas más altas.

Por eso, por las historias, a la princesa de la noche le gusta tanto pasear por el Bosque de los Árboles Genealógicos.

Algunas mañanas soleadas, la princesa va al bosque. Si no hay rocío, se tumba sobre la hierba a la sombra de los árboles genealógicos. Bajo el cobijo de sus ramas, escucha historias.

A veces, se tumba bajo el árbol de Daniel. Desde allí, el abuelo de Daniel le cuenta el cuento de pan y pimiento, de pico de pava que nunca se acaba. Otras veces, se sienta apoyada en el tronco del árbol de Paula. Y la abuela de Paula le cuenta un cuento.

Lori, bilori, Vicente, colori, loribirín, contramarín, picaratote, afuera chicote.

Algunas mañanas se queda dormida debajo del árbol de María.
Es un árbol muy alto. Arriba del todo, está la bisabuela. La bisabuela
de María tiene tantos años que casi ni se acuerda de cuántos.
Y se sabe más cuentos que años tiene (y eso que tiene un montón).
Cuando la bisabuela de María está cansada, cuenta cuentos como
este: «Esto era una vez tres hermanos que tenían un chaleco
colorado. Qué bonito sería mi cuento si no se hubiese acabado».

Pero si está avivada, cuenta historias muy largas. A la princesa

Desde hace un tiempo, la princesa
de la noche no duerme en el Bosque
de los Árboles Genealógicos. Ahora, después
de adentrarse en el bosque, le gusta llegar
al Valle del Viento Ascendente.

Allí es donde mejor le llegan las voces de los niños
y niñas que leen en clase. Mientras leen, el sueño se va
apoderando de la princesa de la noche. Hay días que le hacen
reír. Y días que le hacen sentir como un hormigueo en la piel. Pero
siempre, siempre, le hacen soñar.

Y cuando está a punto de dormirse, a veces se pregunta: ¿cómo será el árbol genealógico de Alejandro, de Sara o de Daniel? ¿Tendrá esa niña que ahora lee una abuela que sepa muchos cuentos? ¿A qué se parecerá el árbol de ese niño: a un roble o a un chopo?

No dejes que la princesa de la noche se quede con las ganas de saber cómo es tu árbol genealógico. Dibuja a tu familia en este árbol y pon sus nombres y sus apellidos.

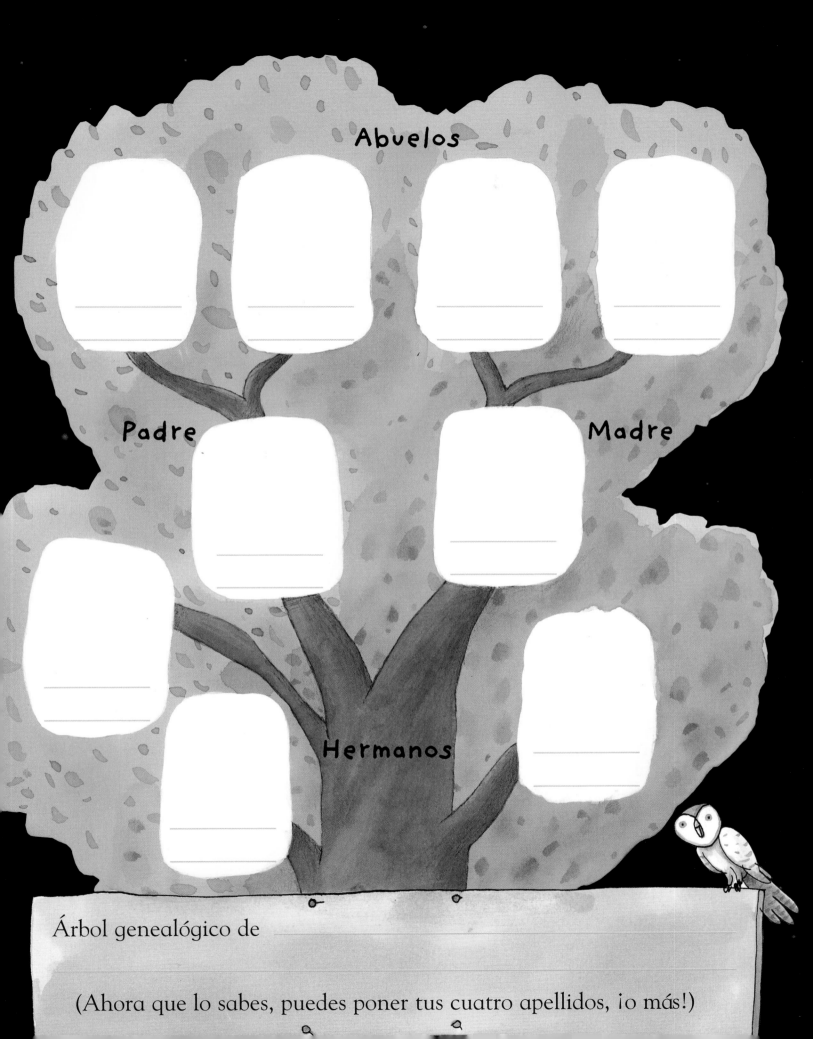

Abuelos

Padre

Madre

Hermanos

Árbol genealógico de _____

(Ahora que lo sabes, puedes poner tus cuatro apellidos, ¡o más!)

«¡Miau! ¡Miau!». Un gato está maullando al oído de la princesa de la noche y no le deja dormir. Pero la lechuza de las nieves ha traído unas canciones que ya cantaban vuestros bisabuelos. Si las leéis, vuestras voces se confundirán con los maullidos de ese gato y la pequeña Vega dormirá por fin.

ROMANCE DE DON GATO

Estaba el señor don Gato
en silla de oro sentado:
calzaba media de seda
y zapatito calado.

Cartas le fueron venidas
que había de ser casado
con una gatita rubia
hija de un gatito pardo.
El Gato, de tan contento,
se ha caído del estrado;
se ha roto siete costillas
y la puntita del rabo.

Ya llaman a los doctores,
sangrador y cirujano:
unos le toman el pulso,
otros le miran el rabo;
todos dicen a una voz:
«¡Muy malo está
el señor Gato!».

A la mañana siguiente
ya van todos a enterrarlo.
Los ratones, de contentos,
se visten de colorado,
las gatas se ponen luto,
los gatos, capotes pardos,
y los gatitos pequeños
lloran: ¡Miau!, ¡miau!
¡miau!, ¡miau!

Ya lo llevan a enterrar
por la calle del pescado.
Al olor de las sardinas
el Gato ha resucitado.
Los ratones corren, corren…
Detrás de ellos corre el Gato.

ANÓNIMO
En *Canto y cuento*. Ediciones SM

Y al arrullo de vuestras voces, se ha dormido
la princesa, se ha dormido la lechuza, ¡y se ha dormido
hasta el gato! «Prrrr», ronronea hecho un ovillo
a los pies de la princesa.
Dulces sueños, princesa de la noche.

Esta noche, en clase de canto, Vega se ha metido
con un grillo porque no sabía cantar. El pequeño grillo
se ha sentido fatal, pero Vega ni se ha dado cuenta.
Igual esta historia le hace pensar un poco.

MINI NO SABE QUÉ HACER

●: Esta es Mini:

Mini es muy delgada. Y muy alta.

Es tan alta como su hermano Moritz. Y eso que él es dos años mayor que ella. La abuela se lleva siempre las manos a la cabeza y exclama:

●: —¿Hasta dónde va a llegar esta niña?

●: Hasta le ha preguntado al médico si no hay algunas pastillas para dejar de crecer.

Pero Mini hace como si no le importara.

A la abuela le dice siempre:

●: —¡Deberías estar contenta de tener diez centímetros de nieta más que las demás abuelas!

●: Pero, en realidad, a Mini le gustaría ser más bajita. ¡O, al menos, más gordita!

●: Mini está en segundo. Desde hace ya unos meses.

Mini tiene muchos amigos en su clase.

Su mejor amiga es Maxi. Mini se sienta a su lado.

Pero Mini también tiene una enemiga en clase.

Se llama Cornelia. Se sienta delante de Mini.

A Cornelia le cae muy mal Mini. Pero Mini no sabe por qué: ella no le ha hecho nunca nada a Cornelia.

Cornelia se sienta al lado de Bernard. Cuando Mini se sabe algo muy bien y la profesora la felicita, Cornelia le dice a Bernard:

●: —¡Esa boba se ha pasado toda la noche empollando!

●: Pero si Mini no sabe algo y no puede responder a la pregunta de la profesora, entonces Cornelia le dice a Bernard:

●: —¡Qué tonta! ¡Con lo fácil que es!

●: Y cuando en el gimnasio Mini gana una carrera, Cornelia les dice a los demás niños:

●: —¡Esa larguirucha tiene ventaja con esas patas de araña!

●: Y si de vuelta a casa después del colegio hace mucho viento, Cornelia le grita a Mini:

●: —¡Ten cuidado de no salir volando, que el hilo se vuela en seguida!

●: Mini se pone muy triste. A veces, cuando regresa a casa después del colegio, incluso llora por culpa de Cornelia. Su hermano Moritz le dice entonces:

●: —¡Venga, no seas tan sensible! Tienes que ser más dura.

●: Pero Mini no lo consigue. Y Moritz tampoco sabe explicarle cómo "endurecerse".

Sus padres le aconsejan:

●,●: —¡A lo mejor basta con que seas amable con esa niña! Entonces, ella ya no tendrá motivos para portarse mal contigo.

●: Mini ya lo ha probado.

¡Pero le salió fatal! Una vez, en el recreo, Cornelia le dijo a Bernard:

●: —¡Qué rabia! ¡Me he dejado el bocadillo en casa!

●: Entonces Mini sacó su manzana y la dejó sobre la mesa de Cornelia.

●: —¡Toma, yo no tengo hambre!

●: En realidad, Mini tenía un hambre horrible.

Al principio, pareció que realmente la amabilidad podía vencer a la maldad. Cornelia se quedó mirando a Mini con la boca abierta. ¡Hasta le dio las gracias! Pero un minuto más tarde tiró la manzana sobre la mesa de Mini.

●: —¡Quédate con tu basura!

●: Es que en la manzana de Mini había dos gusanos. Pero Mini no se había dado cuenta.

Maxi también tiene una receta contra Cornelia. Le dice a Mini:

●: —¡Búrlate tú también de ella! Eso hará que se calle de una vez.

●: Al fin y al cabo, Cornelia tiene cosas de las que poder burlarse. Está bastante gordita: tiene michelines alrededor de la cintura. Se le mueven cuando anda. Se podría meter con sus michelines. O también con sus orejas de soplillo. Las tiene muy grandes y separadas de la cabeza.

Cornelia también podría burlarse de Meier. Meier es tan alto y delgado como Mini. Su nombre es Markus, pero todos le llaman por el apellido.

Tal vez porque hay otro Markus en la clase. Así no lo confunden con él. Además, cuando le preguntan su nombre, él siempre responde:

●: —MEIER, Markus.

●: Meier, en voz muy alta; Markus, muy bajito.

●: ¡Cornelia está enamorada de Markus! Se pasa todo el rato revoloteando a su alrededor. Y se pone muy roja cuando habla con él.

Y le brillan los ojos. Y pone una voz muy dulce y susurrante.

Y pinta en su mesa corazones con una «M» dentro.

Pero su amor por Meier no es un amor correspondido. Meier no se da cuenta de nada.

¡A Meier no le interesan mucho las chicas!

¡Este sería un buen motivo para burlarse de él! Pero Mini no quiere hacerlo, y le dice a Maxi:

●: —¡Entonces yo sería igual de mala que ella!

●: Pero a Maxi sigue sin parecerle mal. Le dice a Mini:

●: —¡Ojo por ojo, diente por diente!

●: O bien:

●: —¡Donde las dan, las toman!

●: Sin embargo, Mini no se deja convencer por Maxi. No quiere ser mala.

CHRISTINE NÖSTLINGER
Mini va al colegio y *Mini en carnaval.*
Ediciones SM (fragmento)

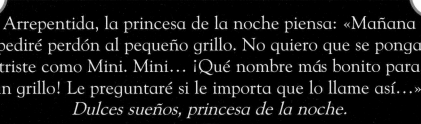

Arrepentida, la princesa de la noche piensa: «Mañana pediré perdón al pequeño grillo. No quiero que se ponga triste como Mini. Mini… ¡Qué nombre más bonito para un grillo! Le preguntaré si le importa que lo llame así…».
Dulces sueños, princesa de la noche.

¡Qué inquieta está hoy la princesa de la noche! Me recuerda a no sé quién… Lleva todo el día moviéndose de un lado para otro. Así no hay manera de que escuche un cuento largo. ¿Probáis con cuatro cuentos cortísimos y dos mentirijillas?

ÉRASE QUE SE ERA

Érase que se era
una vieja bruja dentro de una pera.
Érase que se era… Pero, dime ¿qué pasó?
La pera era de agua y la bruja se ahogó.

Érase que se era
una niña oculta dentro de una cueva.
Érase que se era… Pero, dime ¿qué pasó?
Tardaron en encontrarla y la pobre se durmió.

Érase que se era
una ballenita en una pecera.
Érase que se era… Pero, dime ¿qué pasó?
La ballenita se hizo grande y la pecera se rompió.

Érase que se era
un conejo blanco en mi cabecera.
Érase que se era… Pero, dime ¿qué pasó?
El conejo era de un mago y sin más desapareció.

HERIBERTO TEJO
Poesía infantil de España y Perú.
Biblioteca Nacional del Perú

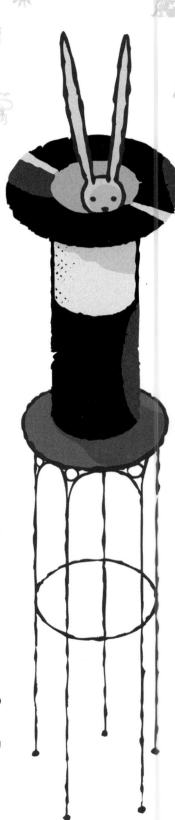

RETAHÍLA PARA PINTAR

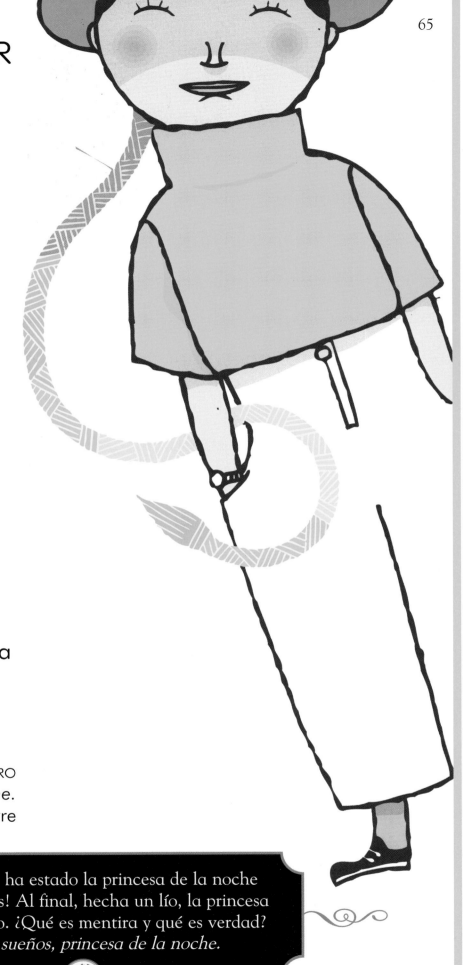

Tengo 7 años,
    2 trenzas
    y 3 hermanos.

Tengo 3 años,
    7 trenzas
    y 2 hermanos.

Tengo 2 años,
    3 trenzas
    y 7 hermanos.

Bien me puedo equivocar:
dos veces digo mentira
y una vez digo verdad,
pero bien mirado
ni yo misma sé
cuándo he acertado,
aunque alguna vez será
que lo que ahora es mentira
otra vez será verdad,
y lo que ahora verdad es
mentira será otra vez.

ISABEL ESCUDERO
Cántame, cuéntame.
Ediciones de la Torre

¡Qué atenta ha estado la princesa de la noche
mientras leíais! Al final, hecha un lío, la princesa
se ha dormido. ¿Qué es mentira y qué es verdad?
Dulces sueños, princesa de la noche.

UN GIRALUNA

Una vez, en un campo de girasoles, nació un giraluna.

Los girasoles nacen uno al lado del otro, son todos igualitos, adoran al sol y desde que amanece levantan la cabeza hacia el cielo para verlo salir.

En cuanto el sol se levanta, los girasoles ya no pueden dejar de mirarlo. Y mientras el sol va corriendo por el cielo, los girasoles van volviendo la cabeza para no dejar de verlo.

Cuando, por la tarde, el sol se acuesta allá lejos, en la raya del horizonte, a los girasoles se les dobla la cabeza de tan cansados como están, de estar todo el día mirando y mirando. Y se duermen como plomos.

El giraluna es algo muy diferente. El giraluna nace solo y siempre es una sorpresa. Hay muy poca gente en el mundo que haya podido ver o escuchar a un giraluna. ¿Y sabéis por qué...?

Pues porque el giraluna vive de noche y en secreto, cuando todo el mundo duerme. Ni siquiera los girasoles que crecen a su lado, y a esas horas están dormidos como troncos, se enteran.

Aquel giraluna nació una noche de verano, cuando en el cielo, todo lleno de estrellas, la luna era solo una rajita de plata.

En cuanto el giraluna brotó de la tierra, y asomó un tallo blanco que apenas se veía, se puso a cantar muy bajo.

> *Luna, lunera*
> *cascabelera*
> *los ojos azules*
> *la cara morena...*

Y así una noche detrás de otra, mientras la luna se iba agrandando en el cielo, el giraluna seguía creciendo y cantando sin dejar de mirarla.

> *Luna, lunera*
> *cascabelera*
> *aún estás chiquita*
> *arroz y canela...*

El giraluna cada noche cantaba más alto, y con una voz tan clara que parecía una campanilla de cristal. Se podía pasar horas y horas inventando versos nuevos.

> *Luna, lunera*
> *cascabelera*
> *bailando en el aire*
> *ya estás casi llena.*

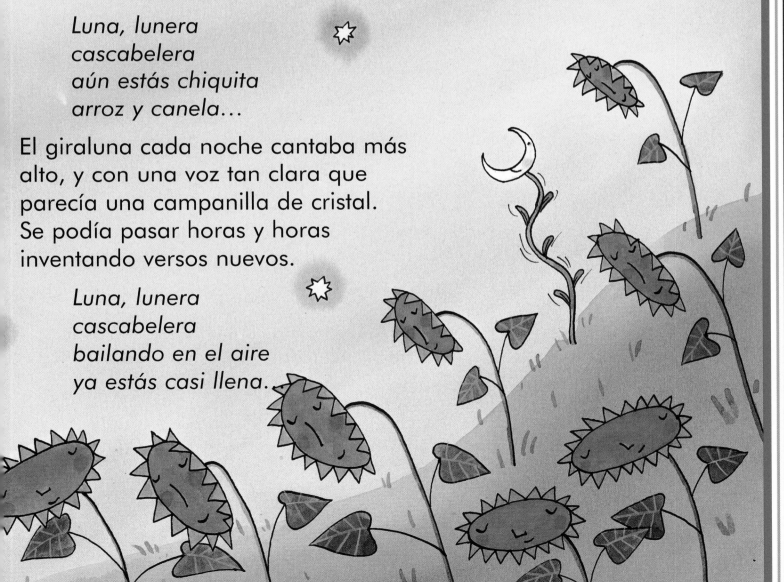

La noche en que por fin la luna apareció
completamente redonda y resplandeciente,
igual que una gran lámpara colgada
en el cielo, el giraluna creció y creció
mientras cantaba.

Luna, lunera
cascabelera
brillante y redonda
de plata y de seda...

Subió por encima de los girasoles dormidos
y, cuando ya estuvo muy alto, la flor
del giraluna se abrió en el aire.

El giraluna tiene una flor hermosísima, blanca y
brillante, que baila y se mueve igual que si volara,
mientras todas sus hojas suenan lo mismo que
flautas y cascabeles.

En la noche de luna llena, el giraluna parecía
una cometa maravillosa que podía alargar su tallo
hasta alcanzar el cielo, y jugar en el aire loco
de alegría, y doblarse bailando hasta tocar la tierra.

Antes de que amaneciera y llegara la luz
de la mañana, el giraluna cerró su flor y empezó
a achicarse para que nadie lo viera.

En los días siguientes, poco a poco, la luna empezó a menguar haciéndose cada vez más pequeña, hasta que una noche desapareció y ya no se la vio en el cielo. Y el giraluna, que se había ido encogiendo y estaba ya muy chiquitito, volvió a meterse bajo tierra mientras seguía cantando con una voz que apenas se oía.

> *Luna, lunera*
> *cascabelera*
> *los ojos azules*
> *la cara morena...*
>
> *Luna, lunera*
> *cascabelera*
> *otra vez te escondes*
> *espero a que vuelvas...*
> *Espero a que vuelvas...*

Quien ha visto la flor del giraluna bailando y cantando en el aire, una noche de luna llena, jamás lo puede olvidar.

También dicen, que si se piensa en un giraluna antes de dormir se le puede ver en sueños.

MARTA OSORIO
Cuentos de cinco minutos. Anaya

Duerme la princesa de la noche y sueña con una flor.
Pero no es un giraluna. Es un gira... sol.
Dulces sueños, princesa de la noche.

La princesa de la noche tiene ganas de jugar. Ahora ya tiene con quién (con vosotros), pero no con qué. ¡Le prestáis unos juguetes?

ADIVINA ADIVINANZAS

Pin, pon,
pin, pon,
en la malla
tropezó.

Pin, pon,
pin, pon,
del tablero
se salió.

Pin, pon,
pin, pon,
este juego
se ganó.

Pin, pon,
pin, pon,
este juego
se acabó.

* * *

No son canas pequeñicas
y ni siquiera son canas;
son redondas y muy chicas,
y hasta parecen hermanas.

No es un tu-tú,
no es un el-él;
búscalo bien tú,
yo estoy en él.

Once detrás de una bola
que disputan a otros cuantos;
todos corren sin parar
porque quieren lograr tantos.

Tiro con el dado
y muevo la ficha,
sin prisa, sin prisa;
me toca esperar,
me toca avanzar.

¡Y mi suerte no es poca,
pues tiro porque me toca!

ANTONIO GÓMEZ YEBRA, EDUARDO SOLER
Adivina adivinanzas. Ediciones SM

Entre quejas y bostezos, Vega recoge todos los juguetes
que ha adivinado y los guarda en el baúl. Es hora
de dormir en el reino de la noche.
Dulces sueños, princesa de la noche.

El viento sopla en el reino de la noche. De repente, un aleteo despierta a la princesa. Es la lechuza de las nieves, que trae en su pico un cuento que contaban tres pastores junto al fuego. Ahora se necesitan ocho para contárselo a Vega. ¿Quiénes se atreven?

EL TRAGALDABAS

●: Esto era una abuelita que vivía sola con sus tres nietas. A la mayor la mandó a lavar; a la de en medio la mandó a fregar, y a la más pequeña la mandó a buscar agua. Y para que volvieran pronto, les dijo:

●: —Cuando volváis, os dejaré bajar a la bodega a comer pan y miel.

●: La más pequeña fue la primera en volver.

●: —Abuela, ya estoy aquí.

●: —Bueno, pues baja a la bodega a comer pan y miel.

●: Pero al entrar en la bodega, estaba allí un tragaldabas, que le dijo:

●: —Pequeña, por pequeña, no vengas acá, que soy el tragaldabas y te voy a tragar.

●: Pero la niña no le hizo caso y entró en la bodega. El tragaldabas hizo:

●: —¡Aum!

●: Y se la tragó.

●: Volvió la de en medio y dijo:

●: —Abuela, ya estoy aquí.

●: —Está bien, puedes bajar a la bodega a tomar pan y miel. Corre, porque si no tu hermana se lo comerá todo.

●: Entró la niña en la bodega y el tragaldabas dijo:

●: —Mediana, por mediana, no vengas acá, que soy el tragaldabas y te voy a tragar.

●: Pero tampoco la mediana hizo caso. Entró y el tragaldabas hizo:

●: —¡Aum!

●: Y se la tragó.

●: Regresó la que había ido a lavar y dijo:

●: —Abuela, ya estoy aquí.

●: —Está bien, puedes bajar a la bodega a tomar pan y miel. Date prisa, porque si no tus hermanas se lo comerán todo.

●: Bajó la mayor a la bodega y el tragaldabas le dijo:

●: —Mayor, por mayor,
no vengas acá,
que soy el tragaldabas
y te voy a tragar.

●: Pero la mayor tampoco hizo caso. Entró y el tragaldabas hizo:

●: —¡Aum!

●: Y se la tragó.

Al ver que tardaban mucho en subir, la abuela dijo:

●: —¡Ay!, ¿por qué tardarán tanto mis nietecitas?

●: Y bajó a la bodega a ver qué pasaba. Al ver a la abuela, dijo el tragaldabas:

●: —Abuela, por abuela,
no vengas acá,
que soy el tragaldabas
y te voy a tragar.

●: La abuela, que ya sabía quién era el tragaldabas, tuvo miedo y no entró. Volvió arriba y se puso a llorar en la puerta de su casa. Al verla un carretero que por allí pasaba, le dijo:

●: —¿Por qué llora usted, abuela?

●: —¡Ay, señor! En la bodega está el tragaldabas y se ha tragado a mis tres nietecitas.

●: —Pues no se preocupe usted, que ya verá cómo yo se las traigo a las tres.

●: Bajó el hombre a la bodega y el tragaldabas le dijo:

●: —Carretero, por carretero,
no vengas acá,
que soy el tragaldabas
y te voy a tragar.

●: Pero el carretero no hizo caso y entró. El tragaldabas hizo:

●: —¡Aum!

●: Y se lo tragó.

Cuando la abuela vio que el carretero no regresaba se puso a llorar otra vez en la puerta. Una hormiga que por allí pasaba le preguntó:

●: —¿Por qué llora, abuela?

●: —¡Ay, hormiguita, si tú supieras! El tragaldabas
se ha tragado a mis tres nietecitas y también
a un carretero que quiso ayudarme.

●: —A ese tragaldabas no le tengo yo miedo. Ahora
mismo bajo y se va a enterar.

●: Al ver a la hormiguita, el tragaldabas dijo:

●: —Hormiga, por hormiga,
no vengas acá,
que soy el tragaldabas
y te voy a tragar.

●: Pero la hormiga le contestó:

●: —Yo soy la hormiguita
de este pedregal,
que te pego un mordisco
y te hago bailar.

●: La hormiga entonces saltó encima
del tragaldabas. Poco a poco,
fue mordiéndolo hasta que
el tragaldabas soltó a las
tres niñas y al carretero.

Subieron todos muy
contentos y al verlos
la abuela dijo:

●: —¡Ay, hormiguita! ¿Cómo
te lo podré pagar?
¿Quieres una talega
de trigo?

: —No cabe tanto
en mi taleguillo,
ni muele tanto
mi molinillo.

: —Entonces, ¿media talega?

: —No cabe tanto
en mi taleguillo,
ni muele tanto
mi molinillo.

: —¿Quizá una docena
de granos?

: —No cabe tanto
en mi taleguillo,
ni muele tanto
mi molinillo.

: —¿Quieres un grano de trigo?

: Y la hormiga muy contenta respondió:

: —Eso sí cabe
en mi taleguillo,
y lo puede moler
mi molinillo.

: Así pasaron muchos años, hasta que este cuento
se perdió entre castaños.

POPULAR
En *Cuentos al amor de la lumbre*. Alianza

Entre castaños se pierde la lechuza de las nieves.
¿Qué historia traerá la próxima vez? ¿Qué canción?
¿Volveréis a lograr dormir a Vega con ella?
Dulces sueños, princesa de la noche.

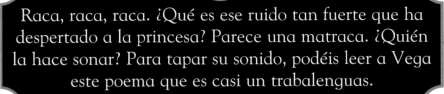

LA MATRACA TRACA

Los días de feria
la matraca traca
por todas las calles
hace su alharaca,

loca chachalaca
cacaraqueadora,
dispara su risa
de ametralladora,

se suelta tronando,
de risa se ataca,
se desempaqueta,
se desempetaca,

que se desternilla,
de risa se mata,
que se descuaderna,
que se desbarata,

parladora boca,
pelada carraca
que el ruido mastica
y el eco machaca,

con nada se aplaca
su seco palique
cotorra de porra,
curruca y urraca,

rehilete loco,
dentada matraca,
entre triquitraques
la matraca traca.

GILDA RENDÓN
Costal de versos y cuentos.
Conafe

¿No os parece que sonaba casi igual que una matraca?
A la princesa de la noche se lo ha debido de parecer,
porque ya no le molesta el ruido y duerme plácidamente.
Dulces sueños, princesa de la noche.

La princesa de la noche tiene un amuleto: una piedra transparente. Cada mañana la princesa toca la piedra. Después, se pone a oír vuestras voces y se queda dormida. Pero ahora no encuentra la piedra y cree que no podrá dormir sin ella. Seguro que el miedo se le pasa si le leéis este cuento.

LAS TRES PLUMAS

Cuando Clara cumplió los ocho años, su padre le dijo que ya tenía edad para atravesar el bosque sola.

Así podría ir a llevarle a la abuela cada semana una buena cantidad de las frutas silvestres que encontraba.

Pero el bosque era tan espeso que impresionaba. Incluso en pleno día, tenía muchas zonas oscuras porque el espeso ramaje no dejaba entrar la luz del sol.

Le daba miedo a Clara, y se lo dijo a su padre.

—No te preocupes. Las aves te darán lo que necesitas. Ahora lo verás.

Su padre llamó al cuervo y le preguntó:

—Cuervo amable, ¿le darás una de tus plumas a Clara?

El cuervo se arrancó una pluma negra y se la dio.

—¿Qué voy a hacer con ella? –quiso saber la niña.

—Te dará valor. No tendrás miedo en el bosque –respondió su padre.

—No es bastante –dijo Clara–. Me perderé.

Entonces el buen hombre llamó a la golondrina, y la golondrina acudió.

Le dijo el padre:

—Golondrina amable, ¿le darás una de tus plumas a Clara?

El ave se desprendió de una pluma gris y se la dio.

—¿Qué voy a hacer con ella? –preguntó la niña.

—Te ayudará a orientarte. No te perderás en el bosque –dijo el padre.

—No es bastante –dijo Clara–. Me cansaré.

Entonces el buen padre llamó a la urraca, y la urraca apareció.

Le dijo el hombre:

—Amable urraca, ¿le darás una de tus plumas a Clara?

El ave se quitó una pluma azul y se la dio.

—¿Qué voy a hacer con ella? —dijo la niña, aunque ya lo adivinaba.

—Te dará fuerza y vigor. No te cansarás en el bosque.

A continuación, le puso las tres plumas en el pelo y le dijo:

—Ya estás preparada. En marcha. No te toques las plumas por nada. Las llevas muy bien colocadas. No se te caerán.

—No las tocaré, papá. No quiero que se me caigan.

Convencida de que las plumas eran amuletos que la protegían, Clara se puso en camino a través del bosque.

Colgado del brazo llevaba un cesto lleno de frutas para la abuela.

Pasado un rato, el cuervo se sintió molesto a causa de la pluma que le faltaba y decidió recuperarla.

Sin que Clara lo notara, pasó volando sobre su cabeza y se la llevó.

A la niña le pareció sentir miedo en aquel momento, pero se dijo:

—No puedo tenerlo. La pluma negra de cuervo que llevo en el pelo no deja acercarse al miedo.

Y el miedo se le quitó. Siguió andando.

Más tarde, la golondrina notó que volaba mal a causa de la pluma que le faltaba y decidió ponérsela otra vez.

Sin que Clara se diese cuenta, pasó volando por encima de su cabeza y se la quitó.

En aquel momento, la niña temió estarse perdiendo en el bosque, pero pensó:

—No puedo perderme. La pluma gris de la golondrina está en mi pelo. Voy bien orientada.

Tenía razón. Lo estaba. Siguió andando
sin preocupación.

Más adelante, la urraca se miró en un lago y no
se gustó nada a causa de la pluma que le faltaba.
Decidió devolverla a su lugar.

Sin que Clara lo advirtiera, pasó volando sobre
su cabeza y la recuperó.

En aquel momento, la niña se sintió muy cansada y
temió no poder dar ni un solo paso más, pero
se dijo:

—No puede ser. La pluma azul de urraca que llevo
en el pelo me da vigor y fuerza. No estoy cansada.

Y siguió andando con más ánimo que antes.

Ya era media tarde cuando un rayo de sol atravesó
las copas de los árboles y alcanzó a Clara.

La niña vio su sombra
proyectada y se alarmó:
¡En su pelo no estaba ninguna
de las tres plumas!

Se llevó las manos
a la cabeza y comprobó
el desastre.

De pronto, todos los miedos
le volvieron.

El bosque la asustaba y
se sentía perdida y
muy cansada, incapaz
de dar ni un paso más.

Casi a punto de llorar, quieta en el sitio, miró
adelante.

Al momento, el gran susto se le pasó.

¡Ya se veía la casa de la abuela! ¡Había cruzado
el bosque! Clara se dijo en seguida:

—Seguro que las plumas se me cayeron al poco
de haber echado a andar. ¡He hecho todo el camino
sin ellas, ya no las volveré a necesitar!

Y echó a correr llamando a la abuela.

Joan Manuel Gisbert
Compañero de sueños. Bruño

—Espero no necesitar el amuleto –dice aún
desconfiada Vega. Pero claro que no lo necesita.
Vuestras voces son como un amuleto que la protege
de todo lo malo. Ya se ha dormido.
Dulces sueños, princesa de la noche.

Desde Panamá, un caracol; desde Cuba, un pajarito;
desde España, un saltamontes protestón y un mosquito.
Tres poetas han traído estos versos de bichos para que
la princesa de la noche se duerma al oírlos.

CARACOL

Cara, cara
caracol
piel de luna
alma sol.

Armadura
y armazón
rama dura
ramazón.

Sol y luna
luna y sol,
mar y arena
caracol.

HÉCTOR COLLADO
*Antología de Poesía Infantil
Iberoamericana.*
Biblioteca Nacional del Perú

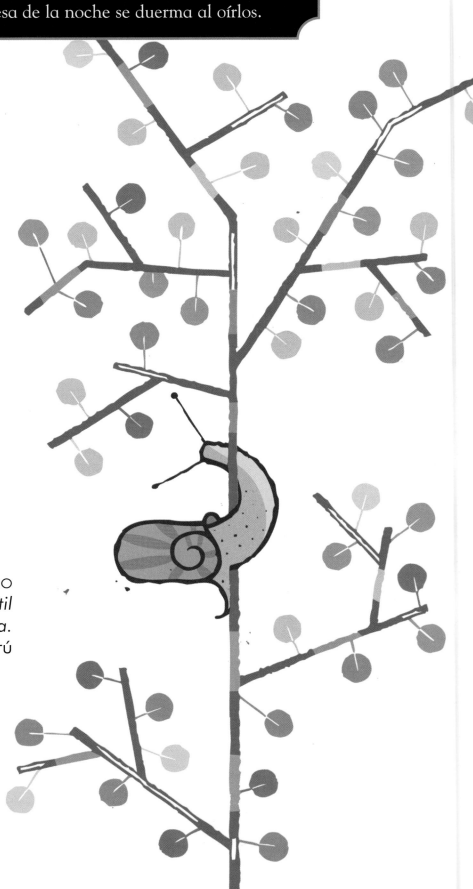

PAJARITO QUE CANTAS

Pajarito que cantas
bajo las hojas,
toma las flores blancas,
dame las rojas.

Pajarito que cantas
entre las flores,
¿te has encontrado alguna
de mil colores?

Pajarito que cantas
en la laguna,
¿ves como su carita
lava la luna?

Pajarito que cantas
allá en la roca,
ya se acabó mi canto
y a ti te toca.

ALMA FLOR ADA
Abecedario de los animales.
Espasa

EL SALTAMONTES

Pequeño, verde y brillante
se confunde con la hierba.
Dos finas agujas de oro
me parecen sus antenas.

Sus bellas alas ocultas
se han quedado polvorientas
y tiene muy fatigadas
sus dos patitas de sierra.

Ha andado un largo camino
a través de muchas tierras
y ante el Rey de los Insectos
va a elevar una protesta:

—Quiero cambiarme de nombre
y llamarme saltapiedras.
¿Cómo voy a saltar montes
con el trabajo que cuesta?

ANA MARÍA ROMERO YEBRA
Hormiguita negra. Edelvives

EL MOSQUITO

Un mosquito zumba
cerca de mi oreja.
No puedo dormirme
porque no me deja.

Zum, zum, zum, zum, zumba
cada vez más fuerte.
Resulta un mosquito
muy impertinente.

Toca su trompeta
quebrando la noche.
Si enciendo las luces
se calla y se esconde.

En cada revuelo
se juega la vida.
—¡Verás como vaya
por insecticida!

ANA MARÍA ROMERO YEBRA
La vaca de Dosinda. Bruño

Se fue el mosquito y se durmió la princesa de la noche.
Ahora sueña que es veterinaria y que tiene que tallar
unas gafas especiales para los cuatrocientos mini ojos
de una mosca.
Dulces sueños, princesa de la noche.

EL TRAJE NUEVO DEL EMPERADOR

●: Érase una vez un país en el que reinaba un emperador muy presumido. Cada momento del día estrenaba un traje diferente: un traje para desayunar, un traje para comer… Casi todo el dinero del país se lo gastaba en trajes.

Enterados de esta manía, llegaron una mañana dos forasteros. Al momento pregonaron que eran capaces de hacer trajes como jamás se habían visto.

La noticia llegó a oídos del emperador. Al momento, hizo llamar a su presencia a los forasteros.

●: —Me han dicho que vosotros coséis trajes extraordinarios.

●: —Así es, Majestad. Nuestros trajes son de tal calidad que podría decirse que son mágicos.

●: —¿Mágicos?

●: —Sí, porque nuestras telas
solo pueden ser vistas
por personas inteligentes y honradas.

●: El emperador pensó que él
era inteligente y honrado. Así
que mandó que instalaran
a los sastres en palacio
para que se pusieran a trabajar
de inmediato.

Pasaron unos días y
el emperador los visitó.
Los sastres movían
los mecanismos de los telares.
Pero el emperador no
lograba ver tela alguna.

●: —Majestad, observad la calidad del paño.
Mirad su trama, sus delicados colores…

●: El emperador miraba y miraba, pero seguía
sin ver nada. Sin embargo, no podía decirlo.
Hubiera sido como decir que él no era ni
inteligente ni honrado.

●: —¡Es maravilloso!

●: Dijo finalmente. Y para probar, hizo venir a todos
sus ministros y consejeros para que opinasen
de la tela. Ellos tampoco la vieron. Pero ninguno
se atrevió a confesarlo.

El ministro de Economía fue el primero en hablar.

●: —¡Algo nunca visto!

●: Después habló el consejero de Vestuario Real:

●: —¡Sensacional! ¡Qué tejido más delicado!

●: Y así, uno tras otro, fueron alabando las telas que ninguno veía. El emperador dudaba pero animó a los sastres a terminar el traje cuanto antes. Quería estrenarlo el día de su cumpleaños.

Los días de prueba hacía que sus consejeros le acompañaran. Siempre había alguno que decía:

●: —Va a ser vuestro mejor traje.

●: —¡Qué bien os sienta, Majestad!

●: Él se miraba en el espejo y solo veía su cuerpo desnudo. Más de una vez estuvo a punto de decirlo. Pero sería como reconocer que era un ignorante.

Mientras tanto, los mercaderes pedían cada día más y más dinero para comprar telas y encajes.

Por fin llegó el gran día: el cumpleaños imperial. La gente esperaba impaciente. Todos querían ver aquel traje del que tanto habían oído hablar.

Pasaron cien caballeros sobre sus caballos blancos. Desfiló la banda de música. Y por fin, de pie, en la carroza real, llegó el emperador.

Cuando los súbditos vieron a su emperador desnudo, no podían creérselo. Pero, al igual que los consejeros, no se atrevieron a decir nada y gritaban:

●: —¡Viva nuestro emperador! ¡Viva!

●: Y así hasta que un niño, que iba sobre los hombros de su padre, dijo en voz alta señalando al emperador:

●: —¡Mira, va desnudo! ¡El emperador va desnudo!

●: Las voces cesaron. Todos agacharon la cabeza. El padre del niño, asustado, se arrojó a los pies del emperador:

●: —Perdonad, Majestad. Es solo un niño y no sabe lo que dice.

●: Y el emperador, cubriéndose con la capa de uno de sus consejeros, le mandó ponerse de pie y exclamó:

●: —Vergüenza nos debería dar a todos. El niño, por ser niño, ha sido el único que se ha atrevido a decir la verdad.

●: Cabizbajos, el emperador y el pueblo se retiraron a sus hogares.

Aquel suceso sirvió para que el emperador aprendiera a ser menos presumido y a pensar más en los demás. Y los consejeros y los súbditos comprendieron que nunca se debía tener miedo a la verdad.

HANS CHRISTIAN ANDERSEN
En *Cuentos a la luz del candil.* Ediciones SM

«La verdad es que aquellos zapatos que quería me hacían un poco de daño», dice Vega antes de caer rendida de sueño. Desde luego, princesa, no los necesitas para soñar.
Dulces sueños, princesa de la noche.

> ¡Pobre Vega! Está en la cama con fiebre. Míralo
> por el lado bueno, princesa. Verás cómo, después de
> este resfriado, eres más alta. ¿No sabías que, mientras
> estás en la cama, vas creciendo? Podéis ayudar
> a que la princesa se cure leyéndole con cariño
> estos dos poemas.

EL PRIMER RESFRIADO

Me duelen los ojos,
me duele el cabello,
me duele la punta
tonta de los dedos.

Y aquí en la garganta
una hormiga corre
con cien patas largas.
Ay, mi resfriado,
chaquetas, bufandas,
leche calentita
y doce pañuelos
y catorce mantas
y estarse muy quieto
junto a la ventana.

Me duelen los ojos,
me duele la espalda,
me duele el cabello,
me duele la tonta
punta de los dedos.

CELIA VIÑAS
Canción tonta en el Sur. Cajal

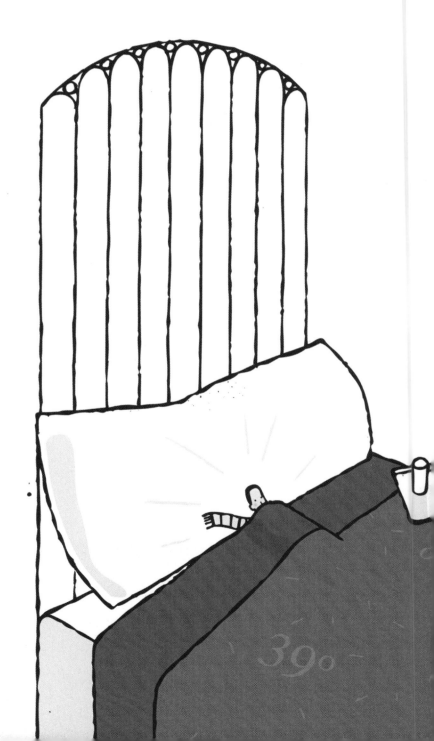

CUENTO

Las manos de mi abuela
merengue y caramelo,
frescos ríos de nata
cuando me alisa el pelo.
Érase que se era
mi abuela
junto al fuego,
el borde de su falda
frontera de mi sueño.

Las manos de mi abuela,
unas manos de cuento,
las manos de mi abuela...

—Me duermo.

CELIA VIÑAS
Canción tonta en el Sur. Cajal

Aletargada por la fiebre y vuestras voces, la princesa
de la noche también se duerme. Sopla el viento del este
sobre su frente para aliviarle el dolor. Sopla el doctor.
Soplamos todos y soplo yo. ¡Fffff!
Dulces sueños, princesa de la noche.

A Vega le encanta conocer a niños y niñas del reino del día. Por eso está tan contenta de que le leáis. Cuando el Viento Ascendente trae vuestras voces, es como si ganara amigos. ¿Y si le lleváis un amigo en el viento? ¿Quién le presenta a Maxi?

MAXI

Me llamo Maxi y os voy a contar una aventura que me ha ocurrido.

Bueno, no sé si es una aventura o una tontería, pero a mí me gusta pensar que es una historia de esas que se pueden escribir en un cuaderno.

Como los aventureros de verdad, que escriben todo lo que les ocurre para que no se les olvide nada. O como mi padre, que cada vez que le toca ir al supermercado, hace una lista de lo que debe traer… Incluso así se le olvidan muchas cosas.

Mamá no sabe nada de mi vida aventurera. Cree que soy uno de esos niños aburridos que no viven historias y que solo me gusta quedarme en mi habitación leyendo libros y tebeos.

A muchos aventureros les pasa eso: que parecen personas tranquilas y luego izas!... De repente se transforman en héroes.

Como Superman, que trabaja de periodista y nadie, ni siquiera su novia, sabe que en realidad es un superhombre que salva al mundo de graves peligros.

A Indiana Jones le ocurre lo mismo: es un profesor de una universidad y cuando surge la ocasión ¡plaf!, coge su látigo y su cazadora y se va por ahí a buscar tesoros.

Hay muchos más que llevan doble vida: Batman, el Zorro…

¿Seré yo igual que ellos: un niño tranquilo en casa y un intrépido aventurero en la calle?

Esa pregunta me la hice ayer por la noche, cuando volvía a casa después de que Lily me dijera aquella frase tan importante que luego escribí en mi diario: «Maxi, eres el aventurero más valiente y generoso que conozco».

Eso es lo que dijo: generoso, valiente y aventurero. Y lo dijo porque quiso y porque lo piensa. Lo dijo sin que yo se lo pidiera ni nada.

Lily no diría una cosa así sin tener un buen motivo, así que os voy a explicar lo que ocurrió.

SANTIAGO GARCÍA-CLAIRAC
Maxi, presidente. Ediciones SM (fragmento)

¡Qué pena! Como habéis leído tan bien, la princesa ya se ha dormido y nos quedaremos sin saber qué le pasó a Maxi.
Dulces sueños, princesa de la noche.

La princesa de la noche se ha despertado en medio de un sueño muy extraño. De pronto entraba en una habitación y estaba en un barco, el barco se convertía en montaña y en la montaña había tres tortugas azules. Este poema, que es como un sueño, está dedicado no a una niña, sino a seis. Las seis hijas del poeta. ¿Le gustará a Vega?

SEIS NIÑAS EN EL CIRCO

El circo es una plancha,
la plancha es una montaña,
la montaña es un plato
para que desayune TERESA.

El circo es un reloj,
el reloj es un autobús,
el autobús es un prado
para que duerma MARÍA ELENA.

El circo es un lago,
el lago es una maleta,
la maleta es un traje
para vestir a SUSANA.

El circo es una escalera,
la escalera es una esponja,
la esponja es un libro
para que lea ISABEL.

El circo es un acordeón,
el acordeón es una huerta,
la huerta es una palangana
para que se lave VERÓNICA.

El circo es un mercado,
el mercado es un sillón,
el sillón es un castillo
para que viva ESTER.

ANTONIO FERNÁNDEZ MOLINA
Aroma de galletas. Media Vaca

El día es un pupitre, el pupitre es tu voz, tu voz es
una canción para que duerma VEGA.
Dulces sueños, princesa de la noche.

¡Es el cumpleaños de la princesa de la noche!
¿Os habéis parado a pensar cuántas cosas no se pueden regalar
a una criatura del reino de la noche?: unas gafas de sol, un reloj
de sol… ¿Qué más se os ocurre? ¿Y qué cosas serían un buen regalo?

Esta noche un coro de grillos ha cantado a Vega el cumpleaños feliz
a tres voces y el grillo Mini ha debutado como solista. Los reyes de la
noche han preparado una fiesta con globos, tarta y fuegos artificiales
(ventajas de ser princesa), y le han hecho muchos mimos. Pero aún le
queda por recibir un regalo muy especial: el de Pilar Mateos, que ha
escrito un cuento protagonizado por… ¡una princesa!, y Teresa Novoa,
que ha hecho unas ilustraciones preciosas. Teresa ha dibujado
una princesa que se parece un poco a Vega. Seguro que le hace ilusión.
¿No creéis?

Pero lo que más le gustará es que se lo leáis con vuestras voces.

La princesa que perdió su nombre

Esto era una princesa muy descuidada que lo perdía todo:
los broches de perlas y las zapatillas de cristal, las cintas
musicales, las calculadoras japonesas y las pequeñas coronas
adornadas con rubíes.

El día que se celebraban las elecciones, al salir del palacio,
se dio cuenta de que había perdido su nombre. Volvió
corriendo a su aposento, y miró encima de la cama,
en su mesa de trabajo y en la tapa del tocadiscos.

Su nombre no estaba allí.

La princesa buscó su nombre entre las adormiladas petunias,
y miró en el estanque por si el viento lo hubiera arrastrado
al agua como a una abeja atolondrada.

La abeja estaba en el agua, pero su nombre, no.

La princesa le preguntó al jardinero:

—¿Has visto mi nombre por algún sitio?

—Hoy no –respondió el jardinero–, pero ayer lo vi en el cielo. Una paloma peregrina lo llevaba en el pico.

La princesa se sentó abatida entre las petunias.

—¿Y ahora qué haré? –se lamentó–. Si no tengo nombre no puedo votar.

—Tampoco puedes casarte ni puedes firmar autógrafos –añadió el jardinero–; ni te darán el carné de conducir.

—Y mis amigos, ¿cómo me llamarán?

—Te llamaremos haciendo «chist, chist».

Pero cuando iba por la calle y la llamaban «chist, chist», todos los transeúntes volvían la cabeza, levantaban las cejas, se señalaban con el dedo índice y preguntaban:

—¿Es a mí?

Y la circulación se interrumpía.

Por eso, un día la policía detuvo a la princesa por alterar el orden público.

—Deme su nombre, haga el favor.

—No tengo. Se me ha perdido.

—Eso lo dirá usted en comisaría.

La princesa pasó toda la noche en la comisaría, temblando de frío, entre mujeres vestidas como princesas que habían olvidado las señas de su corazón.

El jardinero le llevó bocadillos de jamón y un jersey que le estaba muy grande y le llegaba hasta las rodillas.

—Ha dicho tu padre que ahora viene a rescatarte.

Por primera vez, la princesa se dio cuenta de que la mirada del jardinero era acogedora como un nido.

Se metió en ella sin vacilar y vio al jardinero por dentro. Vio que tenía la ternura de una mujer embarazada, la misericordia de un anciano y la gracia de un niño.

Y ya no quiso marcharse de allí.

—Haga el favor de salir –le avisó el policía–, que está aquí su majestad el Rey, que viene a rescatarla.

Camino de palacio, la princesa tropezó catorce veces con sus propios zapatos, seis o siete con el borde del jersey y otras tantas con el mismo pensamiento. Y era que se había enamorado.

—¿Me quieres? –le preguntó al jardinero.

—Podría quererte –contestó el jardinero– si tuvieras un nombre para llamarte en sueños.

—Que busquen mi nombre por todo el reino –ordenó la princesa.

Y el reino entero se puso a buscar.

PILAR MATEOS
La princesa que perdió su nombre.
Edelvives

¡Oh, no! A Pilar y a Teresa se les han acabado la tinta y los colores. Cada cual tendrá que acabar el cuento como más le guste y hacer los dibujos.

Este sí que va a ser un buen regalo para la princesa de la noche.

¡Un montón de cuentos diferentes con finales diferentes!

¡Un cuento hecho por ti!

Hasta el reino de la noche llegan voces
de hace más de cien años. Son las cantinelas
de los pregoneros que vendían sus mercancías
al otro lado del mar.
¿A quién le comprará algo Vega?

PREGONES

●: De lejos se oye un cencerro
que despierta al callejón.
Como salido del alba
va llegando el aguatero
gritando su son…

●: ¡Aaaaguatero! ¡Aaaaguatero!
Agüita fresquita
en vasija de barro.
Medio real diez litros
y de regalo, el tarro.
¡Aaaaguatero! ¡Aaaaguatero!

●: Surge entre la neblina,
con ligero trotecito.
En lontananza se oye
el canto del lecherito…

●: ¡A la buena leche gorda!
¡Lecheero! ¡Lecheriito!
Le regalo la manteca.
Cómpreme usted, mi amito.
¡Lecheero! ¡Lecheriito!

●: Apenas despierta el sol,
con aire sandunguero,
con dos canastas, vocea:

●: ¡Panadero! ¡Panadero!
Calentito el pan casero.
Tengo salado y dulzón.
Un cuartillo los chiquitos,
los grandes un patacón.
¡Panadeeero! ¡Panadeeero!

108

●: ¡A los pooollos y galliiinas!
¡Cómpreme usted, mi vecina!
Vendo huevos bien fresquitos;
hay blancos y coloraos,
¡especiales, caseriiitos!
¡Vendo pooollos y galliiinas!
de la casa su alegría;
asómbrese, usted, marchante,
¡ponen seis huevos por día!
Ponga de fiesta el corral,
con el Rey del gallinero.
Enamore a sus gallinas
con este gallo altanero.
¡Pollos, huevos y galliiinas!
¡Aproveeeche usted, vecina!

●: Y al salir la diligencia,
zalamero, el mayoral,
le compra a Mama Inés
la *empaná* tradicional…

●: *¡Eeempaná! ¡Eeempaná!*
Buñuelo y *cuajá*,
suspiro de monja
y yema *dorá*.
¡Eeempaná! ¡Eeempaná!

●: La barca al puerto llegó,
y por San Joaquín ya se oye:

●: ¡Pescador… op! ¡Pescado… op!
Rico el bagre, la pescadilla…
Son del Río de la Plata.
Fresquito y de buen sabor… ¡Op!
¡Pescador… op!

Rubén Carámbula
Pregones del Montevideo Colonial.
Mosca

 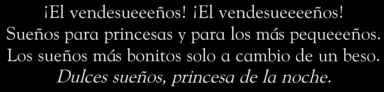

¡El vendesueeeeños! ¡El vendesueeeeños!
Sueños para princesas y para los más pequeeeeños.
Los sueños más bonitos solo a cambio de un beso.
Dulces sueños, princesa de la noche.

El buzón del palacio de la noche está siempre lleno de cartas para el rey o para Carolina, la reina. «¿Cuándo voy a recibir yo una carta?», suspira la princesa de la noche. ¡Qué casualidad! Hay un cuento que empieza exactamente igual. ¿Se lo contáis?

CARTAS PARA EL GORRIÓN

«¿Cuándo voy a recibir yo una carta?», pensó el gorrión. «Nadie se acuerda de mí.»

Estaba sentado en la hierba, bajo el tilo, y piaba con tristeza. Hacía un día precioso y de pronto se le ocurrió una cosa. «Voy a dar clase de escribir cartas», pensó. «Eso es lo que voy a hacer.»

Desplegó las alas y sobrevoló el bosque, cruzó el río y recorrió la playa, proponiendo a quien quisiera escucharle que viniera a sus clases de escribir cartas.

Al día siguiente se reunieron en el claro del bosque docenas de animales que se morían de ganas de poder por fin escribir una carta. Estaba el dromedario, el escarabajo, el martín pescador, la abubilla, y hasta la iguana.

El gorrión dio a cada uno una pluma y un trozo de corteza de abedul.

—Empecemos —dijo el gorrión, saltando entusiasmado delante de sus alumnos, quienes sostenían con firmeza sus plumas y le escuchaban con atención.

—Vamos a escribir una carta dirigida a mí. «Apreciado gorrión». Escribid eso.

Todos los animales se inclinaron y escribieron con unas letras lentas y vacilantes: «Apreciado gorrión».

El gorrión carraspeó y prosiguió:

—Escribid debajo: «¿Cómo estás?».

Todos los animales escribieron: «¿Cómo estás?».

—Es una pregunta tan bonita… –dijo el gorrión–. Que no se os olvide nunca. En ninguna carta. Y debajo escribid…

El gorrión se detuvo un momento a reflexionar. «Ay, y ahora qué», pensó. Se rascó con la punta de un ala detrás de la oreja. Entonces dijo:

—«¿Te gustaría que hiciera una tarta para ti?». Sí, escribid eso. Es una frase maravillosa. «¿Te gustaría que hiciera una tarta para ti?». No hay que abusar de este tipo de frases. Y luego debajo: «Te la llevaré en seguida».
Escribid eso.

Los animales escribieron: «¿Te gustaría que hiciera
una tarta para ti? Te la llevaré en seguida».

—Y debajo poned vuestros nombres –dijo el gorrión.
Satisfecho, se puso a saltar de un lado a otro.

De repente se quedó quieto.

—Pero, ¡ojo! –dijo–, se supone que nunca se
escriben mentiras en una carta. O sea, que si
escribís que vais a hacer una tarta a alguien, tenéis
que hacerla de verdad. Y si escribís que se la vais
a llevar en seguida, tenéis que llevársela en seguida.

Los animales asintieron diligentes e hicieron
un esfuerzo por recordarlo todo.

Luego el gorrión explicó cómo se echaba una carta
al aire y cómo el viento siempre, siempre,
la repartía.

Los animales echaron sus cartas al aire, dieron
las gracias al gorrión y se marcharon a casa.

Al calor del sol, el gorrión regresó volando
lentamente a su casa al pie del tilo. «Ha sido
una clase muy provechosa», pensó.

Nada más entrar en casa, comenzaron a llegarle cartas.

Docenas de cartas. Le cubrían hasta por encima de la cabeza.

—Son de mis alumnos —se dijo orgulloso.

Y al cabo de poco, empezaron a llegar los alumnos con las tartas prometidas en las cartas. Eran demasiadas para el gorrión, así que les invitó a todos a que comieran con él.

Era una tarde larga y alegre de principios de verano.

Al llegar la noche, no quedaba ni una miga. El gorrión se levantó y escribió con letras grandes en la arena:

> *Apreciados alumnos:*
> *Muchísimas gracias.*
> *Vuestro maestro,*
>   *El gorrión*

—Mirad —dijo—. Así se escribe una carta de agradecimiento.

Los animales asintieron. Llenos de admiración hacia el gorrión, se marcharon a sus casas.

TOON TELLEGEN
Cartas de la ardilla, de la hormiga, del elefante, del oso…
Destino

Duerme tranquila, princesa de la noche. Quizá ahora, siguiendo los consejos del gorrión, alguien te escribe y empiezas a recibir decenas de cartas. Quizá algún duermeprincesas se anima a escribirte. Quién sabe… *Dulces sueños, princesa de la noche.*

Dicen que los niños tienen mejor oído que los adultos. En el caso de la princesa de la noche, es cierto. Ahora son unas campanas las que la han despertado y está asustada. ¡Ay, Vega! No tengas miedo de las campanas. Estas lecturas están llenas de ellas, pero son campanas que te harán dormir.

DON JUAN DE LAS CASAS BLANCAS

●: —Don Juan de las Casas Blancas.

●: —¿Qué manda su señoría?

●: —¿Cuántos panes hay en el horno?

●: —Veinticinco y uno quemado.

●: —¿Quién lo quemó?

●: —El fuego lo ha quemado.

●: —¿Dónde está el fuego?

●: —El agua lo ha apagado.

●: —¿Dónde está el agua?

●: —Los bueyes la han bebido.

●: —¿Dónde están los bueyes?

●: —A labrar se han ido.

●: —¿Dónde está la labranza?

●: —Las gallinitas la han escarbado.

●: —¿Dónde están las gallinitas?

●: —A poner huevos se han ido.

●: —¿Dónde están los huevos?

●: —El fraile los ha cogido.

●: —¿Dónde está el fraile?

●: —¡Allí arribita tocando las campanas!
   ¡Tilín-talán, tilín-talán!

POPULAR

MEDIODÍA

En el silencio inmenso, suena la campana…
(No está en la orilla, pero se refleja en el agua.)

Tin, tan… El cielo entero canta, dulce, con ella.
Todas las hojas son (tin, tan) sus notas trémulas.

La brisa se detiene por las notas dejadas…
(No está en la orilla, pero se refleja en el agua.)

Suena en el corazón, y el corazón es cielo;
y el corazón (tin) es también (tan) el reflejo.

El cuerpo es aire, y en él campana el alma…
(No está en la orilla, pero se refleja en el agua.)

JUAN RAMÓN JIMÉNEZ
Poesía en prosa y verso. Aguilar

El vaivén de las campanas adormece a Vega igual
que el suave balanceo de una mecedora. Tin, tan, tin,
tan… Los sueños de la princesa echan a volar.
Dulces sueños, princesa de la noche.

La princesa de la noche es una afortunada. Tiene unos padres que la quieren, un colegio donde aprende muchas cosas, amigos… Incluso tiene vuestras voces. Pero es importante que la princesa sepa que no todo el mundo tiene tanta suerte. Así, cuando sea reina, podrá trabajar para que haya más gente feliz en el mundo.

UNA CINTA AZUL DE DOS PALMOS Y PICO

En aquel pueblo, como en todos los pueblos, había niños tristes y niños felices.

Uno de los niños cumplió años y le regalaron muchas cosas: un caballo de madera, seis pares de calcetines blancos, una caja de lápices y tres

horas diarias para hacer lo que quisiera.

Durante los diez primeros minutos el niño miró todo con indiferencia.

Empleó otros diez minutos en hacer rayas por las paredes. Otros diez en arrancarle una oreja al caballo de madera.

Y otros diez minutos los pasó aburrido, sin hacer nada.

Al deshacer los paquetes, más aburrido que impaciente, había tirado por la ventana la cinta azul con que venía amarrada la caja de lápices, una cinta como de dos palmos, de un dedo de ancha, de un azul fiesta, brillante.

La cinta fue a dar a la calle, a los pies de Juan Lanas, un niño despierto, de ojos asombrados y pies descalzos.

Juan Lanas pensó que aquello era un regalo maravilloso, pensó que era lo más maravilloso que le había ocurrido en la última semana y en la que estaba pasando y seguramente en la que iba a empezar.

Pensó que era la cinta con la que se amarran las botellas de champaña a la hora de bautizar los maravillosos barcos que dan la vuelta al mundo.

Pensó que era la alfombra que usaron
los liliputienses el día que se bautizó al hijo del Rey.

Pensó que sería un bonito lazo para el pelo
de su madre, si su madre viviese.

Pensó que haría muy bonito en el cuello
de su hermana, si tuviera una hermana.

Pensó que le gustaría usarla para pasear a su perro
si era capaz de encontrar a Cisco, tan viejo.

Pensó que no estaría mal para sujetar a la tortuga que quería tener.

Pensó, al fin, que bien podía ser un fajín de general.

Y pensándolo empezó a desfilar al frente de sus soldados, todos con plumero.

Los que lo vieron pasar pensaron que era un niño seguido de un perro, pero Juan Lanas sabía que el perro era su mascota y que los soldados pasaban de siete, que era todo lo que Juan Lanas podía contar sin equivocarse.

Y mientras Juan Lanas desfilaba, el otro niño se aburría.

JUAN FARIAS
Algunos niños, tres perros y más cosas. Espasa (adaptación)

Y mientras leíais, la princesa de la noche se ha quedado dormida. Una lágrima perfectamente redonda se desliza por su mejilla. ¿Por quién creéis que llorará: por Juan Lanas o por el otro niño?
Dulces sueños, princesa de la noche.

Hoy la princesa de la noche asegura que los reyes le han dado permiso para quedarse despierta. Sin embargo, al decirlo se ha ruborizado. La lechuza, que es muy sabia, ha decidido traer un cuento especial. ¿Quién pondrá a prueba a la princesa?

LOS CIEN LOBOS

●: Había una vez un muchacho muy mentiroso. Un día iba con su padre por un camino por donde él no había andado nunca. De pronto, dice el chico:

●: —¡Una vez sí que vi yo lobos! ¡Vi más lobos…!

●: —¿Cuántos viste? ¿Verías cuatro?

●: —¡Qué va, papá! ¡Muchos más!

●: —¿Ocho? ¿Veinte?

●: —¡Más! ¡Muchísimos más!

●: —¿Irían cincuenta?

●: —¡Y cien también!

●: Se quedaron un rato callados siguiendo su camino, y al poco se pusieron a hablar de muchas otras cosas. Cuando ya empezaba a caer la noche, comenzaron a oír un ruido. El ruido era cada vez más fuerte.

●: —¿Qué es ese ruido?

●: —No tengas miedo. Es un río que cruzaremos en seguida.

●: —¿Hay puente?

●: —Claro. El río es muy bravo y el puente, muy seguro. Solo se hunde cuando pasa algún mentiroso.

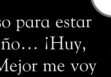

●: El muchacho se quedó callado.
Cuando ya no pudo aguantar más, dijo:

●: —¿Sabes? Igual no había tantos lobos.

●: —Demasiados me parecían.

●: —Muchos iban, pero igual eran menos de cuarenta.

●: —¿Cuántos viste entonces? ¿Treinta?

●: —Quita lobos. Es que al principio me pareció que iban más. Pero ahora dudo que pasaran de veinticinco.

●: Y así, poco a poco, fueron restando lobos. A diez pasos del puente, dijo el padre:

●: —Vamos, que cinco lobos ya irían.

●: —Cinco… Puede ser. Pero igual eran menos.

●: —Pongamos que eran tres, y sigamos adelante.

●: Llegaron al puente y el padre dio el primer paso. Pero el hijo se quedaba atrás.

●: —¡Espera! Es que no sé si llegaban a tres.

●: —¡Pero en qué quedamos! ¿Viste dos lobos, o no viste más que uno?

●: —Solo uno.

●: —De cien lobos que habías visto al principio… Pero sigamos, que ya no se hundirá el puente.

●: —¡Espera! Es que no sé si lo que vi era un lobo o una rama de boj.

POPULAR
En *Cuentos que me contaron*. Fundación Nueva Empresa

—Bueno, aunque me hayan dado permiso para estar despierta, la verdad es que tengo un sueño… ¡Huy, qué sueño tengo! –bosteza la princesa–. Mejor me voy a dormir.
Dulces sueños, princesa de la noche.

La princesa de la noche está de nones. A todo dice que no. «No quiero dormir.» Pero Vega no podrá seguir diciendo siempre que no. ¿Querrás leer este cuento y demostrárselo? Por favor, no digas tú también que no…

EL NIÑO QUE SIEMPRE DECÍA QUE NO

Había un niño, aquí en esta ciudad, que tenía un problema muy gordo: decía *no* a todo. Creo que se llamaba Daniel, sí, Daniel.

Al principio, sus padres y profesores no le daban importancia. Pero, cuando empezó a pasar el tiempo y el niño seguía contestando a todo que no, decidieron ponerlo en mano de especialistas.

Llamaron a un preguntador, que le hizo miles de preguntas: «¿Cómo te llamas?, ¿eres un niño?, ¿te gusta jugar al fútbol?». En fin, probó con todas las preguntas y nada, el niño decía que no, que no y que no.

Probaron con un ilusionista, un personaje que solo daba ideas que hicieran mucha ilusión. El ilusionista le propuso cosas que cualquier niño en su sano juicio habría contestado afirmativamente: «¿Te gustaría ir al parque de atracciones? ¿Quieres que aparezca una tortuga?». No había nada que hacer, que no, que no y que no.

Consultaron con un psicólogo, que lo único que pudo decir es que era importantísimo que el niño dijera por lo menos una vez que sí. De esta forma, se curaría, vería que no pasaba nada y que era mucho mejor poder decir sí que no.

Los padres, los tíos y los maestros probaron desesperados todo tipo de preguntas: «¿Te apetece un helado? ¿Te gustaría ir a ver *Ciento un dálmatas*? ¿Quieres salir al patio?». Nada de nada. El niño dijo no.

Hasta que un día, su hermano, harto ya de tanta gente preguntando, dijo:

—Yo puedo solucionarlo.

Todos se quedaron de piedra.

—¿Cómo? –preguntaron.

—Es muy fácil, dejadme a mí.

Se sentó frente a su hermano, todos estaban callados con los ojos muy abiertos, y le dijo muy serio:

—Dime la verdad, Daniel, ¿vas a seguir diciendo toda la vida a todo que no?

Daniel, sin darse cuenta de lo que contestaba, rápidamente respondió: «Sí».

Todos empezaron a aplaudir como locos. Y así se curó de la extraña manía de decir que no.

A veces vale más una buena pregunta, que miles de promesas.

VICTORIA BERMEJO
Cuentos para contar en 1 minuto. RBA

Y tú, princesa, ¿seguirás diciendo que no?
Dulces sueños, princesa de la noche.

126

Hoy ha llegado un regalo de Navidad para la princesa.
Lo ha enviado la tía Aurora Boreal, que es un poco
despistada. Pero Vega no es la única que va a recibir los
regalos a destiempo. Mirad qué lío se ha hecho el
protagonista de este texto con el reparto. Como no le
ayudéis, muchos niños se van a quedar sin su regalo.

REGALOS DE NAVIDAD

La Navidad se acerca, fiesta hermosa;
No hay niño que no espere alguna cosa.
Pero con tanta cosa y tanto crío,
me encuentro, de verdad, en un gran lío.
No te sorprenderá, porque esta vez
se trata de diez chicos, ¡justo diez:

Por ejemplo, no sé si hay confusión…,
Moncho quiere un *caballo de pulsera*.

Al gran Juanín, audaz y aventurero,
le regalo un *sombrero de jarrones*.

A la fresca y simpática Teresa
le ofreceré un *helado de pintor*.

Para que lo acaricie, mime, achuche,
daré a Magda un *osito de muñecas*.

Juli, amiga de fiestas y salones,
merece una *pareja de patatas*.

Y mi sobrina, Flor, tan zalamera,
tendrá su *relojito de cartón*.

Al comilón de Luis –si no, me mata–
le guardo una *tortilla de frambuesa*.

Agustín, el regalo es casi un lujo,
recibe un gran *estuche de vaquero*.

Pepe, que es un artista superior,
aspira a una *paleta de peluche*.

Y a la linda Mimí, la de las pecas,
le compro una *casita de dibujo*.

¿Que esto no es poesía, que no "pega"?;
tienes mucha razón, nadie lo niega.
Pero en vez de reírte como un loco,
a ver si puedes ayudarme un poco.
Si no, estoy listo, ¡qué calamidad!,
¡qué regalitos esta Navidad!

MICHAEL ENDE
El libro de los Monicacos. Noguer

—¡Ah, claro! –exclama la princesa–.
Para que "pegue" con *confusión*, a Moncho
habrá que darle un caballo de…
¡Ya lo tengo! ¡De *cartón*!
Pero después de resolver el primer enigma,
Vega se ha quedado dormida.
Dulces sueños, princesa de la noche.

«¡No quiero dormir! ¡No quiero dormir!», grita Vega. ¿Y si encerráis sus gritos en una botella? Calla, princesa de la noche. Hoy oirás un cuento protagonizado por un grito. ¿O es que solo las princesas van a tener derecho a protagonizar cuentos?

UN GRITO EN UNA BOTELLA

Voy a contaros una historia que me he inventado yo solito.

Érase una vez un grito llamado *Eh* que andaba volando por los aires.

El grito tropezó con un embudo y quedó atrapado en él.

Ya tenéis un grito metido en un embudo.

Hay conchas y caracolas marinas que al ponerlas junto al oído dejan oír la voz del mar. Aquel embudo, colocado junto al oído, dejaba oír un grito largo y estirado: ¡Eeehhh!

La gente se pasaba de mano en mano el embudo para escuchar aquel sonido extraño que resonaba en su interior.

Y sucedió que cierta vez alguien se sirvió del embudo para llenar una botella con agua de la fuente.

Al primer momento, el agua no podía pasar, pero de pronto, ¡plof!, el agua arrastró el grito para abajo y lo llevó al fondo de la botella.

Así fue como el grito fue a parar a la botella.

Movido por el agua, el grito comenzó a rebotar de un lado a otro y, metiéndose por el cuello de la botella, lo tapó.

La botella, con el cuello taponado, no servía ya para beber y al inclinarla para verter agua apenas si dejaba caer unas gotitas.

Un día en que el calor apretaba de lo lindo, un señor que tenía mucha sed, viendo que no podía tomar agua de la botella, se enfureció tanto que la arrojó al mar.

La botella, con el grito dentro, estuvo días y días
flotando en el mar, mientras las olas iban llevándola
en dirección a un islote, con su palmera, donde
un náufrago dormía.

Un golpe de mar lanzó la botella contra una roca y
la hizo trizas.

El grito, expandiéndose y anhelante de libertad, llenó
el espacio:

—¡Eeeehhh!

Fue tan poderoso y pujante el alarido, que incluso
temblaron las nubes más altas.

El náufrago pegó un salto.

Aquel grito llegó tan lejos, que barcos procedentes
de todos los rincones del mar acudieron a toda
máquina para saber qué sucedía.

En un abrir y cerrar de ojos, el islote quedó rodeado de barcos, lo que permitió al náufrago escoger el que más le gustaba para que lo salvase.

El barco elegido era rojo y tenía tres chimeneas. Se llamaba *Achispado* y transportaba un cargamento de regaliz desde La Habana a Blanes.

El grito, entre tanto, seguía haciendo piruetas por los aires, libre y feliz. ¡Ahí va!

JOLES SENNELL
Horchata de ortigas. Juventud

—Eeeehhh –grita la princesa de la noche. Está probando a ver si la oís. Pero el reino de la noche está muy lejos y solo llega el eco de sus palabras–.
…acias …or …uento.
Dulces sueños, princesa de la noche.

La princesa se ha despertado con una idea un poco extraña: ¿y si yo, mis padres y todo el reino de la noche fuéramos solo un sueño de alguien que sueña? ¿Y si, cuando pienso que me leen, solo lo estoy soñando? ¿Le demostráis que es realidad?

LA CARACOLA

Dentro de esta caracola
ruge un mar contra una playa,
en la que quizá alguien haya
hallado otra caracola
que ahora se acerca al oído
para escuchar el sonido
de las paulatinas olas
que se rompen en la playa,
en la que quizá alguien haya
hallado otra caracola
que alguien como yo se acerca
al oído y oye terca
cómo rompe la mar sola
sus olas en otra playa,
en la que quizá alguien haya
hallado otra caracola.

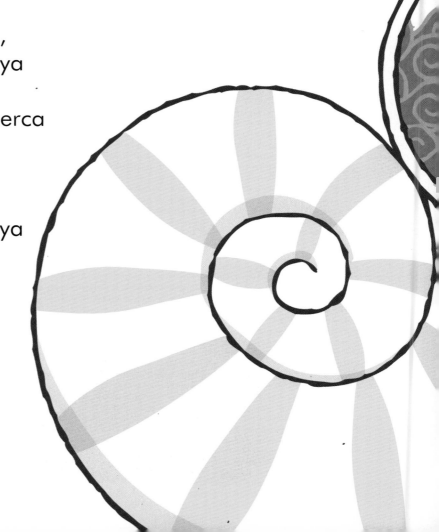

Y así, dentro de cada una,
otra playa y otro abismo
y quizá nosotros mismos
—este mar con esta luna—
estemos dentro de alguna
caracola colosal,
que alguien se acerca al oído
para escuchar el sonido
que hace nuestra soledad.

JUAN BONILLA
El Belvedere. Pre-Textos

La princesa de la noche se acerca una caracola al oído
y le llega el rumor de vuestras risas. «No tengo ni idea
de cómo suena la soledad», dice.
Dulces sueños, princesa de la noche.

¿CÓMO SON LAS BRUJAS?

Según los libros antiguos «una bruja se caracteriza por su avanzada edad, su cara arrugada, sus espesas cejas, un ligero bigote, dientes bailones, ojos bizcos, genio gruñón, descuido en el vestir y la compañía de un gato o un perro».

Esta es, desde luego, una descripción que convendría a mucha gente, especialmente a las abuelitas y muy, muy especialmente a las abuelitas muy mayores. Pero ¡ojo!, aunque todas estas circunstancias coincidan en alguna de vuestras abuelas, esto no significa ya que sea una bruja.

Deberéis fijaros en muchos más detalles.
Y plantearos todas estas preguntas:

1. ¿Es vuestra abuela aficionada a vestir
   trajes negros muy largos y a usar
   sombreros altos y puntiagudos?

2. ¿Le gusta cocer hierbajos y raíces
   en un gran caldero negro?

3. ¿Danza en el jardín
   a medianoche?
   Y si lo hace:

   a) ¿Danza sola?

   b) ¿Con sus compinches?

   c) ¿Las noches de luna
      llena?

   d) ¿Lo hace otras
      noches?

4. ¿Puede vuestra
   abuela
   provocar
   una tormenta,
   un vendaval o un aguacero?

5. ¿Puede volar? Si lo hace:

   a) ¿Utiliza una escoba?

   b) ¿Vuela montada en su gato?

   c) ¿Sube a un avión?

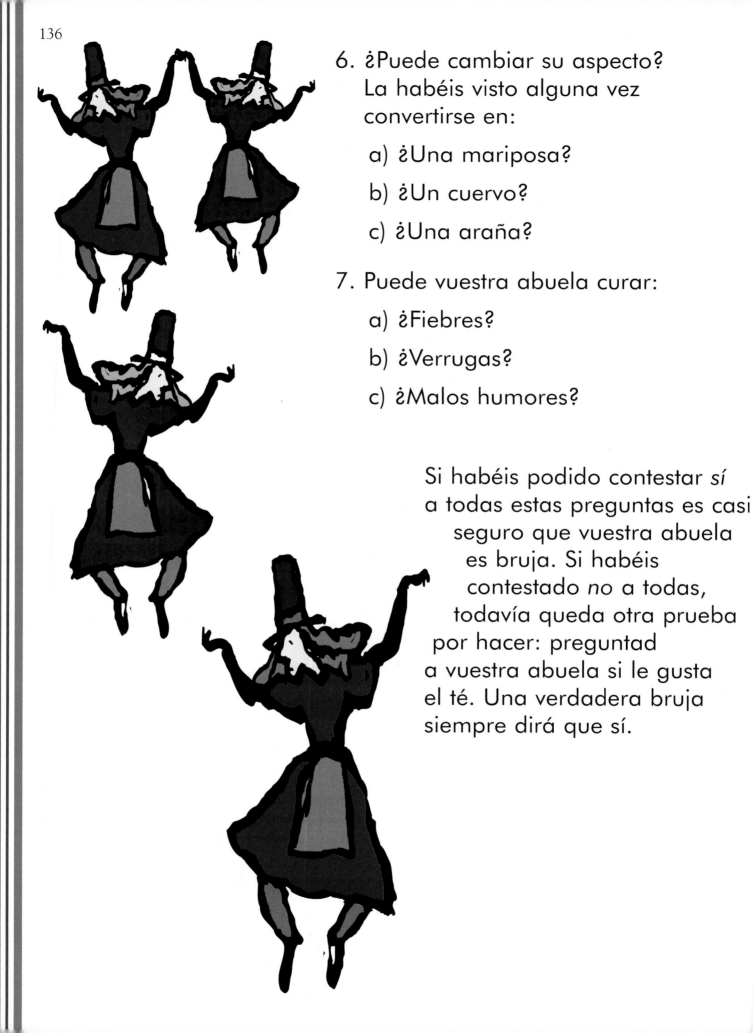

6. ¿Puede cambiar su aspecto?
La habéis visto alguna vez
convertirse en:

   a) ¿Una mariposa?

   b) ¿Un cuervo?

   c) ¿Una araña?

7. Puede vuestra abuela curar:

   a) ¿Fiebres?

   b) ¿Verrugas?

   c) ¿Malos humores?

Si habéis podido contestar *sí*
a todas estas preguntas es casi
seguro que vuestra abuela
es bruja. Si habéis
contestado *no* a todas,
todavía queda otra prueba
por hacer: preguntad
a vuestra abuela si le gusta
el té. Una verdadera bruja
siempre dirá que sí.

Si estáis convencidos de que vuestra abuela es bruja,
os conviene leer este libro para saber todos los
poderes que posee y las costumbres de la gente
de su especie. Y acordaos de ser amables
con ella, las brujas necesitan montones de cariño.

COLIN HAWKINS
Todo sobre las brujas. Altea

¿Alguien ha descubierto una abuela bruja? ¿No?
En todo caso, recordad que también las abuelas que no
son brujas, y los abuelos, necesitan montones de cariño.
¿Verdad que sí, Vega? ¿Vega? No responde. Se durmió.
Dulces sueños, princesa de la noche.

Justo antes de irse a dormir junto a la princesa de la noche, la lechuza de las nieves se ha cruzado con una paloma y un gavilán que volaban juntos. Antes de desaparecer en el horizonte le han contado a la lechuza su historia. Es una historia muy antigua y algo triste con la que podréis dormir a la princesa.

CONDE OLINOS

●: Conde Olinos por amores
es niño y bajó a la mar,
fue a dar agua a su caballo
la mañana de San Juan.

Desde las torres más altas
la reina le oyó cantar:

●: —Mira, niña, cómo canta
la sirenita del mar.

●: —No es la sirenita, madre,
que esa tiene otro cantar:
es la voz del conde Niño
que por mí llorando está.

●: —Si es la voz del conde Niño
yo le mandaré matar,
que para casar contigo
le falta sangre real.

●: —No lo mande matar, madre,
no lo mande usted matar,
que si lo manda matar, madre,
juntos nos han de enterrar.

●: Guardias mandaba la reina
al conde Niño buscar,
que le maten a lanzadas
y su cuerpo echen al mar.

Él murió a media noche
y ella a los gallos cantar;
ella, como hija de reyes,
la entierran en el altar
y él, como hijo de condes,
tres pasitos más atrás.

●: De ella nació una rosa
y de él un tulipán;
la madre, llena de envidia,
ambos los mandó cortar.

De ella nació una paloma,
de él un fuerte gavilán.
Juntos vuelan por el cielo,
juntos vuelan par a par.

ANÓNIMO
En *Romancero*. Crítica

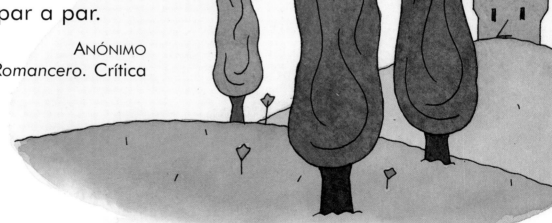

«¿Será esa paloma que ahora vuela una princesa?»,
se pregunta Vega antes de cerrar los ojos. En sueños
pasea por un campo lleno de rosas y tulipanes.
Lo atraviesa con muchísimo cuidado, no sea que pise
a una princesa o a un conde.
Dulces sueños, princesa de la noche.

140

—¡Más cuentos! ¡Más cuentos! ¡Más cuentos! –exige la princesa. Pero no podéis estar leyéndole todo el día. Si no, ¿cuándo iba a dormir? Hay veces en las que hay que saber parar a tiempo. Y si no, que se lo digan a los habitantes de la ciudad de este cuento.

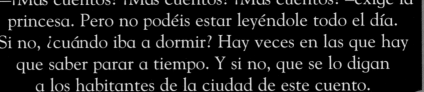

LAS GACHAS DULCES

Érase una vez una niña que vivía sola con su madre; y un día se quedaron sin nada que comer. Entonces la chica se fue al bosque donde se encontró con una anciana que ya conocía su desgracia. La anciana le regaló un pucherito al que solo tenía que decir «PUCHERILLO, COCINA» para que preparase unas sabrosas y dulces gachas de mijo. Y al decirle «PUCHERILLO, DETENTE», dejaba inmediatamente de cocer.

La chica llevó el pucherillo a su madre, y entonces pudieron comer gachas dulces cuantas veces quisieron.

En cierta ocasión, cuando la chica no se encontraba en casa, dijo la madre:

—PUCHERILLO, COCINA.

Y el pucherillo coció y coció y ella sació su hambre. Entonces quiso hacer que el pucherito dejase de cocer, pero no sabía las palabras para ello. Así que siguió cociendo y las gachas salieron por sus bordes; y siguió cociendo, inundando la cocina y toda la casa y la casa de al lado y la calle, como si quisiera saciar el hambre en el mundo entero. Finalmente, cuando solo quedaba una casa sin cubrir, llegó la niña y dijo:

—PUCHERILLO, DETENTE.

Y entonces se detuvo y dejó de cocer; pero todos los que quisieron entrar a la ciudad tuvieron que abrirse paso comiendo gachas.

Hermanos Grimm
En *El señor Korbes y otros cuentos de Grimm.*
Media Vaca

Empachada de gachas y cuentos, la princesa de la noche cierra los ojos y duerme.
Dulces sueños, princesa de la noche.

142

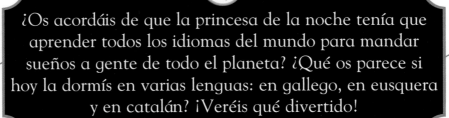

¿Os acordáis de que la princesa de la noche tenía que aprender todos los idiomas del mundo para mandar sueños a gente de todo el planeta? ¿Qué os parece si hoy la dormís en varias lenguas: en gallego, en eusquera y en catalán? ¡Veréis qué divertido!

DURME, MEU NENIÑO, DURME

Durme, meu neniño, durme,
durme, si queres durmir;
a tua nai vaiche na leña,
teu pai logo ha de vir.

(Traducción)   *Duerme, mi niño, duerme,*
duerme, si quieres dormir;
tu madre ha ido por leña
y tu padre irá después.

Galicia

NERE MAITIA

Nere maitia
lo talo biyok
egingo degu lo
zuk o rain
eta nik gero,
biyok egingo degu lo.

(Traducción)   *Querida mía,*
dormiremos los dos.
Tú ahora
y después yo.
Dormiremos los dos.

País Vasco

SON, VINE

Son, son, vine, vine, vine;
son, son, vine, vine, son.
Quan la son, son, vindrà,
en Pepet s'adormirà.

La son, son no vol venir
i en Pepet no vol dormir.
Son, son, vine, vine, vine;
son, son, vine, vine, son.

(Traducción) *Sueño, sueño, ven, ven, ven;*
sueño, sueño, ven, ven, sueño.
Cuando el sueño venga,
Pepito se dormirá.

El sueño, sueño no quiere venir
y Pepito no quiere dormir.
Sueño, sueño, ven, ven, ven,
sueño, sueño, ven, ven, sueño.

Cataluña

Popular
En *Duérmete, niño.* Ediciones SM

La lechuza de las nieves ha cerrado un ojo; la princesa
de la noche, los dos. Al fondo la reina canta una nana.
Arrorró, arrorró.
Dulces sueños, princesa de la noche.

A la princesa de la noche le encantaría saber hacer magia. Fíjate bien, Vega, igual tienes una varita o una alfombra mágica pero todavía no has descubierto cómo activarlas. Eso es lo que sucedió en el pueblo de Rinolda. ¿Quién hace magia y crea con la voz un cuento que duerma a la princesa?

EL SOMBRERO MÁGICO

●: Una noche de tormenta, los habitantes del pequeño pueblo de Rinolda dieron cobijo a un extraño personaje que pasaba por allí y no tenía donde refugiarse de la lluvia.

En agradecimiento, el extraño hombrecillo les regaló un sombrero mágico, pero olvidó decirles cuál era la palabra mágica que debían pronunciar para que el sombrero funcionase.

Así que todos los vecinos inventan palabras y palabras, tratando de dar con la adecuada.

●: —Abracadabra.

●: —Plasonsincon.

●: —Silamanítico.

●: —Zinoldiopolagirospérico.

●: —Sondiconlópulo.

●: —Champaldinóldico.

●: —Plicblic.

●: —Froc.

●: Y venga a inventar palabras, pero nada, no aciertan a decir la palabra mágica. Y así siguen aún, inventando palabras y más palabras.

A ver si tú das con una que haga que el sombrero sea mágico.

MAURICIO BACH
Cuentopostales. Juventud

—Chenoladesaceprin —prueba a decir la princesa. Y ¡magia, potagia!, la princesa se duerme. ¿Seguís inventando fórmulas mágicas?
Dulces sueños, princesa de la noche.

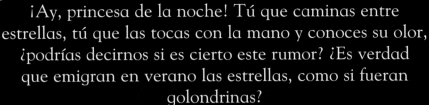

¡Ay, princesa de la noche! Tú que caminas entre estrellas, tú que las tocas con la mano y conoces su olor, ¿podrías decirnos si es cierto este rumor? ¿Es verdad que emigran en verano las estrellas, como si fueran golondrinas?

EL VERANO

Las estrellas se citan en el cielo,
cogen el ascensor
y bajan lentamente a la piscina.

Sobre las nueve y media
iluminan el agua,
nadan sobre el reflejo de los álamos,
bucean por debajo del ciprés
y juegan a subirse al barco de la luna.

Las estrellas bañistas no utilizan
gafas de sol. No usan bronceadores,
ni beben cocacola.
Solamente navegan con sus cuerpos desnudos.

Si las estrellas bajan a la tierra
para bañarse en las piscinas,
yo me pregunto entonces:
¿qué vemos por la noche
nosotros en el cielo?

Hay quien piensa que todas las estrellas,
para poder bajarse a la piscina
sin que nadie lo note,
cubren el cielo de papel de plata,
de caminos de leche
y de fuegos de azúcar.

Yo no lo sé. Pero en algunas noches
hermosas de verano,
mientras el mar se duerme y las ciudades
apagan sus ventanas,
se me enciende una luz,
y pienso seriamente en las bombillas.

Cansadas de estar quietas,
de los ruidos y el humo de las motos,
las bombillas se van de vacaciones,
cogen el ascensor
y suben lentamente hasta los cielos
con ropa de turistas.

Sobre las nueve y media,
flotando en el espacio,
ocupan el lugar que dejan las estrellas.

Entonces me pregunto:
si las bombillas suben hasta el cielo,
cansadas de estar quietas,
¿qué vemos al entrar en las ciudades?,
¿quién pinta las farolas?,
¿quién alumbra las calles y las casas?

Las preguntas que caben en un verso
tienen color de estrellas y verano.
No quieras responderme todavía.
Hay cosas que se aprenden con los años
y respuestas que solo conocen los poetas.

LUIS GARCÍA MONTERO
Lecciones de poesía para niños inquietos. Comares

La princesa de la noche también conoce la respuesta.
Pero calla y sonríe.
Dulces sueños, princesa de la noche.

La princesa de la noche está muy contenta de que le leáis cuentos. Pero seguiría siendo vuestra amiga igualmente si os quedarais mudos y no pudierais leerle más. ¡Así es la amistad! Ni se compra ni tiene precio. ¿Queréis demostrar a Vega vuestra amistad leyendo el cuento del perro fiel?

CUENTO DEL PERRO FIEL

Este era un perro muy fiel que no tenía dueño.

Pero como no tenía dueño, no podía ser fiel a nadie, así que decidió buscarse alguien a quien servir y serle fiel. Eso era lo que más deseaba.

Se colocó el perro en una esquina muy transitada a ver si alguna persona se fijaba en él y aceptaba su fidelidad.

Pero la gente pasaba a su lado apresurada y preocupada y no se daba cuenta de su presencia. Y los pocos que lo hacían, le miraban con disgusto y exclamaban:

—¡Huy, un perro abandonado, sin dueño!

—¡Un perro de la calle, nunca lo adoptaría!

—¡Un perro sin familia conocida!

En vista del fracaso, el perro decidió seguir al transeúnte que le pareciera más adecuado para ser su dueño y continuar detrás de él hasta que aceptara su compañía.

El primero fue un hombre importante que, antes de entrar en un restaurante de lujo en el que no admitían perros, le obligó a alejarse.

El segundo era una anciana amable, que llamó al servicio de recogida de perros abandonados del ayuntamiento para que se preocuparan del perro perdido. El perro huyó despavorido antes de que llegaran los guardias.

Y el tercero fue un chico que se agachó para acariciarlo y preguntarle si quería estar con él, si quería ser suyo; pero sus padres se enfadaron al darse cuenta de que se paraba en la calle para hablar con un perro y lo obligaron a levantarse en seguida y a seguir a su lado haciéndole prometer que nunca más tocaría a un perro de la calle.

El perro suelto se quedó muy triste, porque aquel parecía un buen muchacho. Pero al poco rato del encuentro el chico volvió, esta vez solo, lo recogió en un gesto rápido y mientras lo llevaba corriendo a una tienda de animales de compañía, le explicó que obedeciera sin rechistar todo lo que le ordenara el dueño del negocio, que confiara en él, que se había escapado un momento de un restaurante cercano con la excusa de ir al servicio.

El señor de la tienda lo lavó y cepilló en un momento, lo arregló bien, le puso un collar de terciopelo en el cuello y lo colocó en el escaparate de la tienda, con una caseta al lado, rodeado de espigas verdes.

Al poco rato pasaron por delante de la tienda el chico amable y sus padres, y el muchacho los hizo detener ante el escaparate para admirar la belleza del perro. Dijo que quería ese perro de regalo, que era lo que más le apetecía del mundo. Que así evitaría la tentación de llevarse a casa los perros de la calle. Los padres accedieron encantados, y así fue como el perro perdido halló un dueño que merecía su fidelidad.

El chico le dijo al perro:

—La amistad es libre, no se compra ni tiene precio. La encuentras y la aceptas libremente.

Y el perro pensó:

—Este chico ha luchado por mí y yo le seré fiel sin límite ninguno.

Emili Teixidor
Cuentos de intriga de la hormiga Miga.
Ediciones SM (adaptación)

Vuestra amiga, la princesa de la noche, quiere haceros un regalo en muestra de su amistad. Se acuesta pensando en qué podría regalaros: ¿una estrella, un rap de los grillos dedicado a la clase de Segundo, un eclipse de luna…? Pensando, pensando se quedó dormida.
Dulces sueños, princesa de la noche.

152

La princesa está triste. ¿Qué tendrá la princesa? Sabe que dentro de poco se tendrá que despedir de vosotros y se ha quedado sin voz. Además, está nerviosa porque dentro de poco ¡va a tejer su primer sueño!, y tiene miedo de que le salga mal. Aquí tenéis tres poemas: uno para animarla, otro para que encuentre su voz y otro para despedirla.

¡ATRÉVETE, NIÑA!

Atrévete, te dirán.
Si eres fuerte nada temas.
El mundo te está esperando
que demuestres que eres buena.

Buena en obras y sufrir,
buena en darte generosa.
El mundo va suspirando
por las personas valiosas.

Los que todo se lo guardan
y a nadie nada le entregan…,
a ellos nadie les quiere
por mucho que esos tengan.

No te achiques ante nada,
todo será para ti.
Si no te atreves a nada,
nada te dirá el vivir.

CARMEN CONDE
Cantando el amanecer.
Escuela Española

EL NIÑO MUDO

El niño busca su voz.
(La tenía el rey de los grillos.)
En una gota de agua
buscaba su voz el niño.
No la quiero para hablar;
me haré con ella un anillo
que llevará mi silencio
en su dedo pequeñito.
En una gota de agua
buscaba su voz el niño.
(La voz cautiva, a lo lejos,
se ponía un traje de grillo.)

FEDERICO GARCÍA LORCA
En *Canto y cuento*. Ediciones SM

DESPEDIDA

Si me voy, te quiero más,
si me quedo, igual te quiero.
Tu corazón es mi casa
y mi corazón tu huerto.
Yo tengo cuatro palomas,
cuatro palomitas tengo.
¡Mi corazón es tu casa,
y tu corazón mi huerto!

FEDERICO GARCÍA LORCA
Literatura infantil.
Ediciones Novedades Educativas

Tu reino es mi cama, y en mi reino yo te velo.
Dulces sueños, princesa de la noche.

¡Ha llegado el gran día! Mejor dicho, la gran noche.

A partir de hoy, Vega va a asumir su misión en su reino.

¿Os acordáis de que el rey y la reina de la noche tejían sueños? Pero, por fortuna, en el mundo hay tanta gente soñadora que los reyes ya no dan abasto. Por eso, a partir de ahora, después de haber pasado por la escuela y haber aprendido a tejer sueños, la princesa de la noche les va a ayudar. ¿Y sabéis a quién va a mandar los primeros sueños?

¡A vosotros y a vosotras! Es su manera de agradeceros que durante todo este curso le hayáis leído tan bien.

Pero para dedicaros el sueño perfecto, antes Vega tiene que averiguar algunas cosas sobre vosotros. La lechuza de las nieves le ha ayudado a confeccionar este test.

Contéstalo. Así, la princesa de la noche tendrá todos los datos necesarios para traerte el mejor sueño de tu vida.

◖ Mis mejores amigos son _____

_____

◖ Mi color favorito es _____

◖ Mi libro favorito es _____

◖ Mi canción favorita es _____

◖ Si pudiera elegir un lugar para ir de vacaciones, iría a _____

_____

◖ Si pudiera convertirme en alguien o algo, me gustaría ser _____

_____

◖ Si tuviera un poder especial, me gustaría que fuera _____

_____

◖ Con mis superpoderes ayudaría a _____

_____

◖ De mayor quiero ser _____

_____

◖ Pide tres deseos:

1 _____

2 _____

3 _____

El tiempo ha quedado detenido en tu libro de sueños de la princesa de la noche. A partir de ahora, tú te harás mayor y algunos de tus sueños se harán realidad. Otros cambiarán y otros seguirán siendo los mismos aunque ya se te hayan caído los dientes por segunda vez y tu pelo sea blanco como la nieve. Otra cosa que no combiará es que siempre habrá alguien que quiera oírte leer: la princesa de la noche, tus padres, tus abuelos, tu pareja, tus hijos, tus nietos... Por eso conserva este libro. Puede que un día quieras visitar a la princesa de la noche solo o en compañía de un ser querido y entonces será como si volvieras a tener 7 años otra vez. Y recuerda que, mientras tanto, cada noche, la princesa te seguirá mandando sueños bonitos para que te despiertes feliz. Eternamente.

PROYECTO DIDÁCTICO

Equipo de Educación Primaria de Ediciones SM

SELECCIÓN DE TEXTOS Y AUTORÍA

Begoña Oro

COORDINACIÓN EDITORIAL

Margarita España

COORDINACIÓN TÉCNICA

Nuria Vallina

ILUSTRACIÓN

Pablo Amargo
Asun Balzola
Federico Delicado
Teresa Novoa

DISEÑO

Diana López y Alfonso Ruano

MAQUETA

Equipo SM

DIRECCIÓN EDITORIAL

Mayte Ortiz

© Ediciones SM
ISBN: 978-84-348-9595-9
Depósito legal: M-16170-2011
Impreso en UE / Printed in EU